Pascale de Lomas

le Top des
2007
prénoms

HACHETTE
Pratique

Sommaire

Explication des pictos

 Région(s) où le prénom est le plus donné

 Tendance pour un prénom en 2007

Introduction

Chaque année de nouveaux prénoms apparaissent et d'autres tombent dans l'oubli. En matière de prénom comme de prêt à porter, la mode est versatile et parfois surprenante. Il suffit d'un film à succès, d'une rengaine au hit parade ou d'une personnalité sous le feu des médias pour qu'un prénom soit brusquement mis en vedette. Mais, à la différence des années 1960-1970, l'ampleur de l'engouement reste modeste. Il ne concerne que quelques milliers d'enfants et non l'ensemble d'une génération. Aujourd'hui la palette des prénoms qui ont la cote s'est élargie ; elle comprend une centaine d'heureux élus puisés dans nos terroirs, des horizons plus lointains ou les plus belles pages de la littérature. Ce Top 2007 vous aidera à faire votre choix parmi les prénoms qui sont dans l'air du temps et à offrir à votre futur enfant la première clé de son destin.

Mais avant de prendre votre décision, sachez qu'il existe quelques règles utiles pour choisir le prénom de son enfant. Tout d'abord, il faut vérifier qu'il s'associe harmonieusement au nom de famille. Ils seront la plupart du temps réunis, autant les apparier dès le départ. Attention aux orthographes trop complexes, votre enfant (et tous les autres) auront des difficultés à écrire correctement un prénom compliqué, cela peut être toute leur vie une source d'irritation. De même, évitez si possible les prénoms évoquant un objet de la vie courante, ils seront sujet à la moquerie de la part des autres enfants, le premier motif d'un complexe encombrant. Depuis 1993, les prénoms sont moins réglementés par l'état. Les parents ont désormais toutes latitudes pour choisir le prénom qu'ils souhaitent donner à leurs enfants. Les officiers d'état civil peuvent cependant s'opposer à ceux qu'ils jugent trop préjudiciables pour l'avenir des nouveaux-nés : comme les prénoms ridicules ou imprononçables. Cette option est toutefois rarissime ; les parents portent désormais seuls la responsabilité du choix effectué.

Si vous créez vous-même le prénom de votre enfant ou si vous optez pour un prénom qui ne figure pas dans le calendrier, songez que votre enfant n'aura pas de saint patron, donc pas de « fête » connue. Ce n'est qu'un détail, mais notez le parmi les points négatifs ou positifs de chaque choix. Dans tous les cas, et quelle que soit la décision que vous prendrez, vous devrez pouvoir raconter à votre enfant pourquoi c'est ce prénom et non un autre qui est devenu le sien. Cette jolie histoire de son identité, c'est le début de sa vie parmi les autres, au sein de sa famille et de son époque, sa vraie naissance sociale. Plus tard, il aimera la connaître. Comme l'histoire d'amour qui l'a fait naître, il sera curieux de tout ce qui l'a précédé. C'est avec ces éléments biographiques qu'il construira sa légende personnelle. Ce guide vous aidera à vous orienter en vous fournissant l'essentiel des informations utiles à une décision éclairée.

Tendance 2007

• Alizée

Fête

Les Alizée
se fêtent
le 20 juillet.

Est
Sud-Est

Voilà un prénom qui parle d'aventure et de grand large. Les alizés dési-gnent les vents réguliers qui soufflent d'est en ouest sur l'Atlantique et qui permettent aux voiliers, depuis les grandes explorations, de rejoindre le continent américain. Ce sont deux amoureux de la voile qui ont lancé la vogue de ce prénom à la saveur marine : Arnaud de Rosnay, notre champion français de *windsurf*, disparu en mer, et sa femme Jenna ont ainsi baptisé leur petite fille dans les années 1980. Dès lors, le succès d'Alizée ne s'est pas démenti et des milliers de petites filles fleurent bon les embruns. Depuis peu, une jeune chan-teuse les fait voyager au firmament du show-biz.

Caractérologie Les Alizée ont la tête dans les nuages et des semelles de vent. Elles aiment les grands espaces et les voyages au long cours.

Tendance 2007

• Ambre

Fête

Les Ambre se
fêtent le 10 mars

Région
parisienne
Sud-Est

Ambre comme...
l'actrice
américaine et top
model Amber Valleta

Détrompez-vous, Ambre n'est pas un prénom rare. Depuis 1940 il a été attribué plus de 12 000 fois. Issu de l'arabe *anbar* et du latin médiéval ambre, ce prénom précieux bénéficie de la mode des noms de joyaux, tout comme Jade, Perle, Cristal, Béryl, Esmeralda ou Rubis. Très en vogue dans les pays anglophones sous la forme Amber, il doit son succès au roman de Kathleen Winsor, *Forever Amber*, paru en 1948. En réalité, l'ambre n'est pas une pierre mais une résine fossile utilisée depuis l'Antiquité pour la confection de bagues et de colliers. Il existe deux sortes d'ambres : l'ambre gris, constitué par les concré-tions de poisson et réservé à la parfumerie, et l'ambre jaune, employé en bijouterie. Dans les fragments d'ambre jaune, il n'est pas rare de trouver des insectes fossiles qui en augmentent la valeur.

Caractérologie On apprécie les Ambre pour leur charme et leur douceur. Vives et sociables, elles savent mobiliser l'attention.

▲ Axel

C'est une valeur sûre du top des prénoms, avec pour année record 2003 où 3 346 bébés français ont reçu ce prénom. Axel est un prénom également très en vogue en Suède et au Danemark. Il signifie le « père de la paix » en hébreu.

Aujourd'hui, ce diminutif d'Alexandre semble tout particulièrement prédestiner ceux qui le portent au *star-system,* si on en croit le succès de la chanteuse belge Axelle Red ou encore du rocker français Axel Bauer, deux autres habitués des places de numéro un.

Caractérologie Les Axel sont des êtres doux et équilibrés. On leur attribue de nombreuses vertus dont le sens de la famille et des responsabilités, le dynamisme et le courage. Des qualités bien utiles lorsque l'on vit sous les feux de la rampe !

Fête

Les Axel se fêtent le 21 mars.

Centre
Sud-Ouest
Sud-Est

▲ Baptiste

Du grec *baptiste* qui signifie « immerger », Baptiste est le surnom de l'un des piliers de la religion chrétienne, l'annonciateur de l'arrivée du Messie. Né 12 ans avant notre ère, saint Jean-Baptiste consacra sa vie à Dieu dès son plus jeune âge en se retirant dans le désert et en pratiquant le jeûne et la prière. Puis il prêcha la foi nouvelle et la pénitence auprès des populations résidant le long du Jourdain, où il baptisa Jésus-Christ lui-même.

Parmi les Jean-Baptiste célèbres, Jean-Baptiste Poquelin, *alias* Molière, se taille sans conteste la part du lion. Mais depuis, on dit qu'un ministre et un torero lui envieraient son prestige...

Caractérologie Les Baptiste sont des rêveurs. Volontiers idéalistes, ils ne se laissent pas influencer. Quand il le faut, ils savent être sociables et diplomates et restent, quoi qu'il en coûte, parfaitement loyaux.

Fête

Les Baptiste se fêtent le 24 juin.

Ouest
Sud-Ouest
Centre
Corse

Baptiste comme...
l'acteur français
Jean-Baptiste
Maunier

Tendance
2
0
0
7

● Célia

Fête
Les Célia se fêtent
le 21 octobre.

Nord-Est
Centre
Sud-Est

Célia comme...
la chanteuse
cubaine Celia Cruz

Célia ou Céline, du latin *celare* qui signifie « cacher », a bien failli disparaître à jamais de nos registres d'état civil. Hormis une sainte qui n'est guère passée à la postérité et qui est morte dans d'obscures circonstances, l'engouement pour ce prénom semble se limiter à la fin de la période gallo-romaine. Il fallut tout le talent d'une jeune québécoise pour le remettre au goût du jour et l'imposer sur toutes les scènes du monde : vous aurez reconnu la célébrissime Céline Dion ! Depuis dix ans, les Célia ou Céline colonisent peu à peu les cours de récréation. Plus récemment, Célia a donné naissance à une version masculine : Célian.

Caractérologie Enthousiastes et sociables, les Célia et Céline attirent facilement la sympathie. Leur séduction naturelle est, à coup sûr, leur plus bel atout.

Tendance
2
0
0
7

▲ ● Charlie

Fête
Les Charlie
se fêtent
le 4 novembre.

Sud-Est

**Charlie/Charlize
comme...**
les actrices
chinoise Charlie
Young et américaine
Charlize Theron

Si Charles est un prénom classique par excellence, son diminutif Charlie a toujours bénéficié d'une aura beaucoup moins austère. La personnalité du grand Charlie Chaplin y est sans doute pour beaucoup. Ses pitreries empreintes de poésie ont donné à ce prénom un capital sympathie indéniable. Aujourd'hui c'est sa version féminine, Charlie ou Charlize, qui est devenu très tendance. Charles comme Charlie viennent du germanique Karl, qui signifie viril, mâle. Au XVIe siècle, saint Charles Borromée était un grand aristocrate italien. Neveu du pape Pie IV, il fut nommé cardinal à 22 ans et archevêque de Milan à 26. Il fut l'un des grands opposants de la Réforme protestante et l'un des principaux acteurs du concile de Trente.

Caractérologie Les Charlie sont aimables et généreuses. Elles ont le sens de l'intérêt général et aiment partager leurs connaissances.

• Chloé

Curieux destin que celui des Chloé! Depuis le début du XXᵉ siècle, elles n'étaient que 15 000 en France à se prénommer ainsi et, tout à coup, en 1997, 6 274 petites Chloé se sont ajoutées à la liste. Dès lors, l'engouement n'a pas faibli. Toutes ces jeunes pousses, ou *chloe* en grec, ont une brillante icône, Chloë Sevigny, égérie du cinéma indépendant américain et actrice de talent. Mais il est vrai que le ton est donné depuis longtemps par la maison de haute couture *Chloé*, symbole de luxe, de créativité et de non-conformisme. De quoi inspirer tous les parents du monde!

Caractérologie On attribue à celles qui portent le prénom Chloé un goût inné pour la philosophie et la spiritualité, une tendance qui en fait souvent des personnalités originales et parfois même un peu provocatrices.

Fête

Les Chloé se fêtent le 5 octobre.

France entière

Chloé comme...
l'actrice française
Chloé Lambert

▲ Colin

Colin et Colas sont tous les deux des diminutifs de Nicolas. Très courants au Moyen Âge, ces prénoms avaient presque disparu des registres d'état civil français. Aujourd'hui, Colin est à nouveau en vogue. Son homonymie avec un poisson de mer ne semble plus lui nuire. Il est vrai que depuis peu, il bénéficie de l'aura d'un champion du monde des rallyes : Colin Mac Rae. Saint Nicolas, évêque de Myre en Asie Mineure, est à l'origine de nombreuses légendes. Son culte et les traditions qui lui sont attachés ont sans doute inspiré la figure du Père Noël. Nicolas vient du grec *nikê*, qui signifie « victoire », et de *laus*, qui veut dire « louange ».

Caractérologie Séducteurs et intelligents, les Colin aiment le luxe et l'harmonie. Les passions les attirent, mais ils préfèrent la sérénité de liens plus confortables.

Fête

Les Colin se fêtent le 6 décembre.

Sud-Ouest

Colin comme...
l'acteur irlandais
Colin Farrell

• Colombe

Tendance 2007

Le saviez-vous ? Il existe un saint Colomban ! Le saint homme, né en Irlande en 537, voua sa vie à l'évangélisation de nos ancêtres gaulois, rude tâche qui n'a pas concouru pour autant au succès de son prénom. Colombe, la version féminine de celui-ci, fait depuis peu un retour discret. Colombe et Colomban viennent du latin *colombus*, qui signifie « pigeon ». Le volatile symbolise la paix depuis toujours, dans un monde quelque peu agité ! On s'épuiserait à moins. En fait, c'est sans aucun doute Colombine, la charmante soubrette de la *Comedia del arte*, fiancée d'Arlequin, qui a le mieux défendu jusqu'à nos jours les couleurs d'un nom de baptême tombé en désuétude.

Caractérologie Les Colombe ont un caractère bien trempé et il en faut un pour défendre l'idéal qui les habite. Elles sont également dotées de qualités de médiatrice et d'intuition.

• Ella

Tendance 2007

Selon les thèses, Ella serait un dérivé du prénom franco-normand Ela ou une altération de l'hébreu *El-Yah*, « le Seigneur est mon Dieu », qui a aussi donné naissance au prénom biblique Élie. Quoi qu'il en soit, Ella se rencontre dès le XIe siècle des deux côtés de la Manche. Au XIIIe siècle, Ella Fitzpatrick fut l'épouse malheureuse du prince Guillaume Longue Épée, frère de Richard Cœur de Lion. À la mort de son mari, Ella fonda une abbaye de religieuses augustines dans le Lancashire.
Mais c'est sans doute en mémoire de la grande chanteuse de jazz Ella Fitzgerald, surnommée « The First Lady of Song », que John Travolta et Kelly Preston, ainsi que Warren Beatty et Annette Bening, ont décidé de baptiser leurs filles Ella.

Caractérologie Sérieuses et travailleuses, les Ella concentrent leurs efforts sur l'essentiel. Elles détestent la futilité et le mensonge.

▲ Elliott

Version américaine du prénom biblique Élie, Elliott, ou Eliot, vient de l'hébreu *El-Yah*, « le Seigneur est mon Dieu ». Élie est l'un des grands prophètes de l'Ancien Testament. Au IXe siècle avant J.-C., il lutta contre l'idolâtrie des rois Achab et Jezabel et tenta de ramener le peuple juif dans la voie de Dieu. Aux États-Unis, Eliot est aussi le nom d'un héros de la loi. Dans les années 1920-1930, en pleine Prohibition, Eliot Ness combattit avec son équipe, les Incorruptibles, les tenants de la Mafia, dont faisait partie le célèbre Al Capone, surnommé *Scarface* à cause de la fameuse cicatrice qui lui barrait la joue. Peut-être est-ce en sa mémoire que Robert de Niro a choisi de prénommer Elliott son troisième fils, né en 1998 de son mariage avec Grace Hightower.

Caractérologie Sérieux et travailleurs, les Elliott concentrent leurs efforts sur l'essentiel. Ils détestent la futilité et le mensonge.

Fête

Les Eliott se fêtent le 16 juillet.

Centre
Ouest

Elliot comme…
l'écrivain australien
Elliot Perlman

▲ Enzo

Connaissant une très forte augmentation depuis dix ans, Enzo était, en 2005, au 3e rang des prénoms les plus attribués. Il faut dire qu'Enzo est le prénom d'un véritable génie pour les amoureux de l'automobile ! Enzo Ferrari n'est autre que le fondateur de la prestigieuse firme qui porte son nom et qui construit depuis 1946 les plus belles voitures de sport au monde. En Italie, il est vénéré comme une divinité ! Enzo, c'est aussi le personnage incarné par Jean Reno dans le film de Luc Besson, *Le Grand Bleu*, film référence pour toute une génération aujourd'hui largement en âge d'être parent. Enzo, prénom d'origine germanique, signifie « maître de maison ». Son équivalent français est Henri.

Caractérologie Les Enzo ont le sens des responsabilités. On les dit exigeants et influents. Pour eux, la famille est sacrée, elle constitue leur équilibre.

Fête

Les Enzo se fêtent le 13 juillet.

France
entière

Enzo comme…
la chanteuse
française Enzo Enzo

Fête

Les Fabio se fêtent
le 20 janvier.

 Sud-Est

Fabio comme...
le footballeur italien
Fabio Cannavaro

 Tendance 2007

▲ Fabio

Fabio est la version italienne du français Fabien. Fabien et Fabio sont dérivés du nom de l'une des plus illustres familles de la Rome antique : les Fabii, du latin *faba,* « fève ».

Fabien fut très à la mode dans les années 1970. Sa vogue est aujourd'hui retombée, mais Fabio pourrait prendre le relais, porté par la mode des prénoms d'origine étrangère et le succès d'une série télévisée, *Fabio Montale*. En Italie, Fabio est l'un des prénoms les plus attribués. En France, Fabian, sa version occitane, est également tendance. Saint Fabien fut élu pape au IIIe siècle. Il mourut en martyr sur l'ordre de l'empereur romain Decius.

Caractérologie Toujours charmeurs et charmants, les Fabio sont des êtres qui se soucient des autres, ce qu'ils manifestent de manière agréable. Cet heureux caractère leur vaut la réputation d'être des amis fidèles et précieux.

Fête

Les Flavie
se fêtent
le 12 mai.

 Centre
Nord
Ouest
Est

Flavie comme...
la présentatrice
de télévision
Flavie Flament

 Tendance 2007

● Flavie

Très à la mode durant l'Antiquité, Flavie a ensuite totalement disparu pendant des siècles. Ce n'est qu'à partir des années 1980 que ce prénom réapparaît timidement dans les registres d'état civil. Depuis 2002, il est entré dans le top 100 des prénoms féminins.

Flavie vient du latin *flavius* qui signifie « blond, doré ». Dans la Rome antique, les Flavii étaient une grande famille qui a donné naissance à trois empereurs : Vespasien, Titus et Domitien. Sainte Flavie Domitille était, au Ier siècle, la nièce de l'empereur Domitien. Elle fut convertie par saint Clément et fit vœu de virginité. Furieux, son fiancé obtint qu'elle soit déportée sur l'île de Pontia.

Caractérologie Lumineuses et délicates, parfois audacieuses, les Flavie cachent un caractère bien trempé derrière une apparente fragilité.

▲ Florian

Les Florian
se fêtent le 4 mai.

 France
entière

Très en vogue dans les années 1990, Florian figura même quelques mois parmi les 10 prénoms les plus attribués. Aujourd'hui, il est moins fréquemment choisi mais reste une valeur sure du classement. Florian, comme Flora, vient du latin *florus* qui signifie fleur.

Saint Florian était un ancien officier romain qui vivait retiré dans une petite ville d'Autriche. Il fut arrêté alors qu'il était venu secourir des chrétiens emprisonnés. C'est le saint protecteur de l'Autriche où son culte est resté très vivace.

Dans un registre plus glamour, le jeune écrivain Florian Zeller incarne à la perfection le cocktail de séduction, de talent et de sensibilité que l'on attribue en général aux Florian.

Florian comme...
le champion
cycliste Florian
Rousseau

Caractérologie Intellectuels et enthousiastes, les Florian sont doués pour la communication. On leur prête aussi un grand sens pratique et beaucoup de détermination.

▲ Gabin

Les Gabin
se fêtent
le 19 février.

 Centre
Ouest
Est

Étonnant destin que celui de ce prénom tiré de l'oubli par la vertu du grand écran. Gabin, qui vient du latin *gabies*, ville du Latium, est un prénom traditionnel basque mais c'est aussi, et surtout, le nom de scène choisi par le monstre du cinéma français, Jean Gabin, né Jean Gabin Alexis Moncorgé. Depuis 1970, la célébrité de l'acteur a remis ce prénom au goût du jour. Son saint patron, saint Gabin de Rome, était sénateur romain et le frère du pape Caïus. Converti au christianisme en même temps que sa fille, Suzanne, ils furent tous deux arrêtés au début de la grande persécution de l'empereur Dioclétien en 296.

Caractérologie Les Gabin sont des êtres sensibles et complexes. Timides, ils confient difficilement leurs sentiments qu'ils dissimulent derrière une façade rigide.

Fête

Les Garance
se fêtent
le 5 octobre.

Nord
Région
parisienne
Ouest

Garance comme...
l'actrice française
Garance Clavel

Tendance 2007

• Garance

Depuis toujours, la garance est connue des teinturiers. Cette plante à fleurs jaunes de la famille des rubiacées a en effet la capacité de teindre d'un beau rouge vif n'importe quel textile. Par extension, le mot garance désigne aujourd'hui la teinture et la couleur obtenue. Lors de la première guerre mondiale, les pantalons de l'infanterie française arborait cette teinte fort peu discrète face à l'ennemi ! Devant les pertes humaines, l'état major dut renoncer à cette couleur martiale pour adopter le fameux « bleu horizon ». Cependant, Garance est surtout le nom du personnage central du film *Les Enfants du paradis* de Marcel Carné, incarné par Arletty. La vogue du prénom s'explique sans doute ainsi.

Caractérologie Introverties et secrètes, sincères et réfléchies, les Garance ne se laissent jamais emporter par leurs sentiments.

Fête

Les Hugo se fêtent
le 1er avril.

France
entière

Hugo comme...
le dessinateur
belge Hugo Pratt

Tendance 2007

▲ Hugo

Le diminutif de Hugues est l'un des prénoms préférés des Français. En 2005, il se plaçait au 5e rang des noms de baptême les plus populaires. Hugo est un prénom d'origine germanique, *Hug* signifiant « esprit, intelligence ». On comprend que les parents en raffolent !
Saint Hugues, né en 1024, fut le père abbé de la magnifique abbaye de Cluny. Conseiller et ami des papes, il vécut entouré de l'admiration de tous, un destin plutôt enviable. Dans la littérature, Hugolin est le soupirant malheureux de Manon des sources, le chef-d'œuvre de Marcel Pagnol, un personnage en décalage avec l'image habituellement attribuée à ce prénom. Les Hugo et dérivés sont plutôt raisonnables.

Caractérologie Exigeants et responsables, les Hugo jouissent souvent d'une certaine influence. Plus que l'ambition, c'est l'amour qui est au cœur de leurs préoccupations.

• Ilona

Tendance 2007

Fête

Les Ilona se fêtent le 18 août.

Est
Sud-Est
Ouest
Région
parisienne
Nord

Ilona signifie « éclat du soleil » en grec. Ce joli prénom, courant en Hongrie, était rare jusqu'à présent. Mais depuis peu, il est apparu sur les registres d'état civil et vient d'intégrer le top 100 des prénoms féminins en 2006. Peut-être est-ce dû en partie à la jeune Ilona Mitrecey. À 11 ans, la petite chanteuse a sorti son premier single et enregistré des records de vente soutenue par son père, Dan, ancien chanteur du groupe de Canal+. Ilona est aussi le prénom qu'a choisi un autre habitué des studios, le chanteur et compositeur David Hallyday, pour l'une des filles nées de son union avec le mannequin Estelle Lefébure. David Hallyday a aujourd'hui trois enfants : Emma, Ilona et Cameron.

Caractérologie Extraverties et sensibles, et ce ne sont pas les moindres de leurs qualités, les Ilona sont d'une nature bienveillante. Elles sont capables de patience et de concentration.

• Inès

Tendance 2007

Fête

Les Inès se fêtent le 10 septembre.

Ouest
Centre
Région
parisienne
Sud-Est

Ce prénom a connu une très forte augmentation ces dix dernières années. Inès se hisse aujourd'hui à la 15e place du classement, un succès qu'elle doit sans doute à son multiculturalisme. Sainte Inès était une Japonaise qui périt la tête tranchée pour avoir hébergé des chrétiens en 1622. Mais citons également Inès de Castro, la maîtresse adorée du roi du Portugal, exilée puis assassinée.
Inès vient du grec *agnos*, qui signifie « chaste et pure », et de l'arabe *el wines*, « compagne, sociable ». Cette double origine fait son succès chez les couples mixtes. Parmi les Inès les plus célèbres, Inès de la Fressange, mascotte de la maison Chanel, et Inès Sastre, actrice, imposent leur élégance et leur beauté.

Caractérologie Surmontant tous les obstacles, les Inès ne supportent ni la trahison ni l'infidélité. Elles savent être fermes et autonomes.

Fête

Les Jade se fêtent
le 23 juin.

Ouest
Centre
Région
parisienne
Sud-Est

Jade comme...
le chanteur latino-
américain Jade
Esteban Estrada

• Jade

Tendance
2
0
0
7

Si, en Occident, le jade est considéré comme une pierre semi-précieuse sinon comme une simple pierre d'ornement, en Extrême-Orient, cette pierre verte fait l'objet d'une véritable vénération. Depuis l'Antiquité, les Chinois attribuent au jade de nombreux pouvoirs, dont celui de porter chance, de chasser les démons et les catastrophes. Serait-ce la raison de l'incroyable engouement que suscite ce nouveau prénom ? Depuis l'an 2000, plus de 20 000 bébés ont été ainsi prénommés dans le seul Hexagone ! Et la vogue ne semble pas se calmer... En théorie Jade serait un prénom mixte, mais en France, il est presque exclusivement porté par des filles.

Caractérologie À l'image de la pierre qui leur porte chance, les petites Jade sont changeantes, intuitives et fidèles. Elles ont de grandes qualités relationnelles.

Fête

Les Léa se fêtent
le 22 mars.

France
entière

• Léa

Tendance
2
0
0
7

Sainte Léa est née à Pise en Italie en 334. Mariée à 12 ans et veuve à 20, elle s'abîma dans la piété et l'ascétisme avant de mourir de la peste. Même sort funeste pour Léa, l'une des quatre matriarches du peuple d'Israël et première épouse de Jacob, qui vécut malheureuse et délaissée par son mari à qui elle donna pourtant sept enfants ! Les Léa seraient-elles condamnées au sacrifice ? Léa vient du latin *lea*, qui signifie « lionne », et il est vrai que la femelle du roi des animaux ne chôme pas pour nourrir ses petits ! Nul doute que les petites Léa sauront mieux se défendre et s'inspireront, soyez-en sûr, de la vie de Léa plus modernes : Léa Massari, Léa Drucker ou Léa Bosco, toutes les trois séduisantes et actrices !

Caractérologie Rêveuses et généreuses, tolérantes et humanistes, les Léa ne manquent jamais de courage pour défendre les leurs.

▲ Liam

Tendance 2007

Fête

Les Liam se fêtent le 10 janvier.

Sud-Ouest
Sud-Est

Liam comme...
le chanteur britannique
Liam Gallagher,
l'acteur irlandais
Liam Neeson

Liam est le diminutif de William, la version anglaise de Guillaume. Très répandu en Irlande, il est aujourd'hui fréquent en Grande-Bretagne et dans plusieurs pays anglophones, tout particulièrement dans les familles d'origine écossaise. Saint William Hart, originaire de Wells, en Angleterre, se convertit au catholicisme et fut ordonné prêtre en 1581, à Rome. De retour dans son pays, il fut arrêté et exécuté.
En France, William a été attribué dès le XIXᵉ siècle, mais sans jamais rivaliser avec le succès inoxydable de Guillaume. Depuis peu, son diminutif Liam fait une apparition discrète. Liam est le nom de l'un des quatre enfants de Kevin Costner.

Caractérologie Les Liam ont une personnalité double. Un peu cyclothymiques, ils apprécient la solitude tout en restant fidèles à ceux qu'ils aiment.

● Lola

Fête

Les Lola se fêtent le 15 septembre.

Région parisienne
Est
Sud-Ouest

Lola comme...
l'actrice espagnole
Lola Duenas

En 2004, Lola figurait au 17ᵉ rang des prénoms les plus donnés en France, joli score pour ce diminutif de Dolorès jusqu'alors peu répandu. Il est vrai que le prénom bénéficie de l'aura d'une personnalité hors du commun, Lola Montes. La célèbre courtisane du XIXᵉ siècle fut anoblie par le roi de Bavière et incarnée au cinéma par la splendide Martine Carol, dans le film éponyme très controversé de Max Ophuls. Citons aussi Lola Flores, l'une des chanteuses espagnoles les plus populaires de l'après-guerre, et le titre d'un film de Jacques Demy narrant les aventures sentimentales d'une chanteuse de cabaret interprétée par la belle Anouk Aimée. Lola vient de l'espagnol *dolores* qui signifie « douleur ».

Caractérologie Les Lola sont honnêtes et persévérantes. Elles ont avant tout besoin de sécurité et d'affection, à mille lieues du cynisme de la sulfureuse Lola Montes.

● Lou

Tendance
2
0
0
7

Fête

Les Lou se fêtent
le 15 mars.

Centre
Sud-Est

Lou, où es-tu ? Lou, que fais-tu ? Les petites Lou montrent les dents un peu partout. Apparu dans le milieu du xixe siècle, ce joli diminutif de Louise est devenu très tendance dans les années 1950 sous la forme Marie-Lou. Aujourd'hui, les Lou, Louanne, Leelou ou Lilou sont très populaires chez les couples mixtes et les familles d'origine maghrébine, en raison de leur proximité avec les prénoms arabes traditionnels, tel le romantique Loubna.

La plus célèbre des Lou est sans conteste la splendide Lou Doillon ; la jeune actrice, fille de l'actrice et chanteuse Jane Birkin et du réalisateur Jacques Doillon, a tous les atouts d'une star.

Caractérologie Les Lou sont connues pour être de grandes optimistes. Elles mordent la vie à belles dents et avec ce brin de créativité qui fait leur charme.

● Maeva

Tendance
2
0
0
7

Fête

Les Maeva
se fêtent
le 28 septembre.

Centre
Sud-Est
Sud-Ouest

Maeva comme...
la présentatrice
de télévision
Maeva Berthelot

Voici un prénom qui évoque à merveille un ciel pur, des lagons turquoise et des plages de sable blanc se déroulant à l'infini. Maeva signifie « bienvenue » en tahitien, une jolie façon d'accueillir le bébé qui vient de naître.

Depuis 1995, elles sont près de 25 000 à avoir été baptisées de ce prénom aux effluves de karité pour leur venue au monde. Décidément, les îles Sous-le-Vent font rêver les urbains que nous sommes ! Gageons que pour leurs dix-huit ans, les petites Maeva se feront offrir un tour du monde, histoire d'explorer par elles-mêmes les territoires de rêve qu'elles incarnent si joliment.

Caractérologie On aimerait les imaginer la tête dans les nuages, évanescentes et romanesques, mais les Maeva sont au contraire pragmatiques et armées d'un solide sens de la famille.

▲ Mattéo

Mattéo, de l'hébreu *mathith* et *yâh* qui signifient « don de Dieu », multiplie les orthographes. Mathéo, Matthéo ou le simple Matéo, les parents n'ont que l'embarras du choix. À moins qu'ils ne se rabattent sur le plus traditionnel Matthieu, qui reste un prénom très tendance. Saint Matthieu était douanier et écrivain public, profession qui ne le prédestinait guère à la postérité, lorsqu'il croisa Jésus Christ sur son chemin. Il décida alors de suivre le Messie et de noter méticuleusement chacun de ses faits et gestes, rédigeant de la sorte le premier des quatre Évangiles. C'est ainsi qu'il se retrouve aujourd'hui saint patron des banquiers, des agents de change et des comptables !

Caractérologie   Les Matéo ont un faible pour les gens qui réussissent, pour l'argent et la gloire. Ils rêvent de vivre comme ceux qu'ils admirent.

Fête

Les Matéo
se fêtent
le 21 septembre.

France
entière

Matteo comme...
le comédien français
Mattéo Vallon, le
footballeur italien
Mattéo Ferrari

▲ Max

Max est le diminutif de Maxime, du latin *maximus*, qui signifie « le plus grand ». Maxime est aujourd'hui l'un des prénoms masculins les plus en vogue. Et, fait étonnant, Maxime n'est cantonné à aucune classe sociale ou zone géographique : on le retrouve partout.
Max, très courant dans les pays anglo-saxons, pourrait bénéficier de la même faveur. Max est le prénom de l'un des cinq enfants de l'acteur Dustin Hoffman. Le comédien américain a d'abord eu une fille, Jenna, avec la ballerine Anne Byrne. Puis il a épousé Lisa Gottsegen, une avocate, qui lui a donné quatre enfants : Jacob, Rebecca, Max et Alexandra.

Caractérologie   Les Max sont créatifs et parfois un peu laxistes. Mais c'est sans compter sur leur charisme naturel qui les sauve régulièrement de bien des déboires.

Fête

Les Max se fêtent
le 14 avril.

Ouest
Sud-Ouest

Max comme...
les réalisateurs
allemand Max
Ophuls et français
Max Linder

Tendance
2
0
0
7

● Mia

Ouest

Mia est un diminutif anglophone de Mary (Marie). Mia et Marie signi-fient « celle qui élève » en hébreu. Jusqu'au XIe siècle, Marie était un prénom jugé trop sacré pour qu'on le donne en nom de baptême, ce qui explique le succès de ses différents dérivés.

La plus célèbre des Mia est sans aucun doute Mia Farrow. L'actrice américaine, née Maria de Lourdes Villiers Farrow, est la fille du réali-sateur John Farrow et de l'actrice Maureen O'Sullivan. Sa carrière marqua un tournant lorsqu'elle devint l'épouse du réalisateur Woody Allen. Mia est également le prénom qu'a choisi l'actrice australienne Kate Winslet pour sa fille qui est née en 2000 de son union avec Jim Threapleton.

Caractérologie Chanceuses, les Mia mettent leur bonne fortune au service de projets parfois fantasques dont elles se lassent vite.

Tendance
2
0
0
7

▲ Nathan

France
entière

Depuis quelques années, les prénoms bibliques sont à la mode. Nathan, Raphaël, Sarah ou Marie apparaissent dans le top 10 des pré-noms préférés des Français.

En hébreu, Nathan veut dire « il est donné ». Nathan était prophète et conseiller du roi David. L'Éternel lui confia la mission de préserver David des tentations et de le remettre dans le droit chemin, une tâche plutôt rude si on en croit les très nombreuses péripéties du livre de Samuel !

Un autre Nathan, l'acteur comique Nathan Lane, vient de recevoir son étoile sur le célèbre Hollywood Boulevard, la postérité version actuelle !

Caractérologie Sensibles et fiables, les Nathan ont une haute idée de l'engagement. Ils font preuve en toutes circonstances d'une téna-cité exemplaire.

• Océane

Vous vous imaginez qu'Océane est une création récente, inspirée du plus traditionnel Marine? Détrompez-vous. Océane, du grec « océan », est répertorié dans la liste des prénoms de la conférence épiscopale française. Les saints Théodore, Océan, Ammien et Julien auraient été des martyrs orientaux qui périrent par le feu sous le règne de l'empereur Maximilien.
Le prénom n'en dégage pas moins une forte odeur d'embruns, celle d'un week-end au bord de l'Atlantique : bottes en caoutchouc, ciré jaune et pull marin pour une grande balade sur la plage. Quel merveilleux programme !

Caractérologie Observer l'océan inspire de belles pensées. Les Océane goûtent ainsi la philosophie, la méditation et la rigueur scientifique.

Fête

Les Océane se fêtent le 2 novembre.

 France entière

▲ Oscar

L'écrivain dandy Oscar Wilde, qui était célèbre pour ses traits d'esprit et son goût de l'autodérision, s'en serait sans doute amusé : la cote de son prénom est en très forte hausse depuis quelques années ! En Suède, Oscar figure même dans le top 10 des prénoms les plus attribués.
Oscar, ou Anschaire, vient du germanique *Ans*, divinité teutonne, et *gari*, « lance ». Bien qu'encore peu nombreux, les petits Oscar français sauront méditer ce conseil laissé par leur illustre représentant britannique : « Il faut mettre son génie dans sa vie et son talent dans ses œuvres. »

Caractérologie Les Oscar ont pour la plupart le goût du raisonnement et des analyses subtiles. Ils sont réputés pour être d'excellents médiateurs.

Fête

Les Oscar se fêtent le 3 février.

 Ouest Sud-Ouest

Fête

Les Satine
n'ont pas
de fête connue.

Région
parisienne

• Satine

Tendance 2007

Satine, c'est le nom de la meneuse de revue du Moulin-Rouge immortalisée par la talentueuse actrice australienne Nicole Kidman, une courtisane manipulatrice et sans scrupule dans le Paris de la fin du XIXe siècle. Mais c'est également le prénom qu'a choisi, sous l'orthographe Satheene, Laetitia Casta, l'ancien mannequin devenue actrice, pour la petite fille née de son union avec le photographe Stéphane Sednaoui. Ce prénom féminin inspiré par le tissu éponyme pourrait devenir l'un des prochains prénoms en vogue, au détriment des Blandine et autres Pauline. Luc Besson a lui aussi prénommé Satine sa troisième fille.

Caractérologie Pragmatiques et volontaires, les Satine n'ont pas froid aux yeux. Elles savent décider et conduire leurs projets avec intelligence.

France
entière

Théo comme...
le réalisateur grec
Théo Angelopoulos

▲ Théo

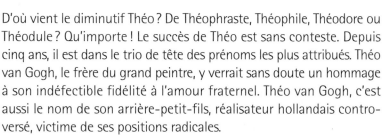

Tendance 2007

D'où vient le diminutif Théo ? De Théophraste, Théophile, Théodore ou Théodule ? Qu'importe ! Le succès de Théo est sans conteste. Depuis cinq ans, il est dans le trio de tête des prénoms les plus attribués. Théo van Gogh, le frère du grand peintre, y verrait sans doute un hommage à son indéfectible fidélité à l'amour fraternel. Théo van Gogh, c'est aussi le nom de son arrière-petit-fils, réalisateur hollandais controversé, victime de ses positions radicales.
Théo vient du grec *theos*, qui signifie « dieu », mais aussi du germanique *theud*, qui veut dire « peuple ». De quoi fomenter quelques révolutions !

Caractérologie Sensibles et créatifs, les Théo ou Théau sont fidèles en amour et en amitié. Ils ne se prennent pas au sérieux mais sont des travailleurs infatigables.

▲ Titouan

Tendance
2007

Fête

Les Titouan
se fêtent
le 13 juin.

Ouest

C'est en quelque sorte la quintessence de la gloire : voir son surnom transformé en prénom courant. Cette aventure inédite est celle du navigateur, artiste et écrivain Titouan Lamazou. À l'origine, le vainqueur du Vendée Globe se prénommait Antoine. Ses parents l'avaient surnommé Titou, comme cela est fréquent au Pays basque. Il passa les premières années de sa vie au Maroc à Tétouan, où il était Titou de Tétouan. Sa nourrice marocaine abrégea son surnom en Titouan. Cette jolie histoire est à l'origine d'un véritable engouement : depuis 1990, beaucoup de petits garçons ont été baptisés Titouan.

Caractérologie Les Titouan sont des travailleurs acharnés. Bienveillants, ils sont à fois volontaires et consciencieux. Ils peuvent compter sur des amis nombreux et fidèles.

▲ Tom

Tendance
2007

Fête

Les Tom se fêtent
le 3 juillet.

France
entière

Tom doit indéniablement sa popularité à sa sonorité courte et sympathique. On imagine sans peine un petit garçon espiègle courant vers sa maman et l'image suffit à expliquer la cote immuable de ce prénom. Tom, comme Thomas dont il est le diminutif, vient de l'araméen *toma*, qui signifie « jumeau ». Saint Thomas, apôtre au Ier siècle, s'est rendu célèbre par son incrédulité. Ne voulant croire à la résurrection de Jésus, il ne fut convaincu qu'en voyant celui-ci apparaître devant lui. Il partit ensuite prêcher l'Évangile en Inde où il mourut en martyr. Parmi les Tom célèbres, citons deux figures sympathiques et décalées : l'acteur et chanteur Tom Novembre, pour la France, mais aussi le jazzman américain Tom Waits.

Caractérologie Si les Thomas sont des sceptiques, ils n'en restent pas moins doux et accommodants. Leur sûreté de jugement en fait d'excellents leaders.

▲ Valentin

Tendance 2007

Fête

Les Valentin se fêtent le 14 février.

France entière

Valentin comme... le comédien français Valentin Traversi

Quel joli prénom à donner au fruit de son amour ! Les Valentin sont, par excellence, des enfants de Cupidon. Chaque année, le saint patron des amoureux est là pour nous le rappeler.

Valentin vient du latin *valens*, qui signifie « vigoureux ». Depuis 1990, plus de 75000 petits Valentin ont pris la vie à bras-le-corps, bien décidés à jouer les séducteurs. Pour cela, ils pourront s'inspirer du destin de deux grands admirateurs des femmes, Rodolfo Alfonso Raffaello Piero Filiberto Guglielmi di Valentina d'Antoguolla, *alias* Valentino, la première star latine du cinéma américain, et le célèbre couturier italien Valentino Garavani.

Caractérologie Anticonformistes et provocateurs, les Valentin sont généreux jusqu'à la prodigalité. Ils se laissent peu influencer et poursuivent leurs buts avec ténacité.

▲ Yanis

Tendance 2007

Fête

Les Yanis se fêtent le 24 juin.

Région parisienne Sud-Est

Yanis comme... le chanteur martiniquais Yaniss Odua

Ce nouvel entrant du top des prénoms est la version grecque du plus classique Jean. Yanis, qui s'écrit aussi Yianis, Yiannis, Ianis ou Iannis, est très populaire chez les couples mixtes et les familles d'origine maghrébine, en raison de sa proximité avec les prénoms arabes traditionnels. Yanis et Jean viennent de l'hébreu *Yo hânân*, qui signifie « Dieu le miséricordieux ». Dans les registres de l'Église catholique, il n'existe pas moins de 300 saints du nom de Jean, le plus célèbre étant saint Jean-Baptiste.

Parmi les Iannis célèbres, citons le compositeur de musique contemporaine grec d'origine roumaine, Iannis Xenakis.

Caractérologie Les Yanis sont dynamiques et pleins d'audace. Esprits indépendants, ils savent faire preuve de détermination. On les retrouve dans les professions libérales et artistiques.

Adèle

Tendance 2007

Adèle est un prénom médiéval venant du germain *adel*, qui signifie « noble ». On imagine les belles Adèle courtisées par d'élégants jouvenceaux, aux plus riches heures de l'amour courtois. Presque disparu depuis le début du siècle dernier, le prénom Adèle a connu un regain d'intérêt ces dix dernières années. Adèle Blanc-Sec, l'héroïne de la bande dessinée de Tardi, vit toutes ses aventures dans le Paris de la Belle Époque. Adèle, c'est aussi le prénom de la femme et de la deuxième fille mal-aimée de Victor Hugo. Le destin tragique de celle-ci inspira au cinéaste François Truffaut le personnage d'Adèle H., incarnée à l'écran par la sublime Isabelle Adjani.

Caractérologie Généreuses et tolérantes, les Adèle sont aussi réputées pour être de grandes rêveuses. Elles n'en gardent pas moins les pieds sur terre.

Fête

Les Adèle se fêtent le 24 décembre.

 Ouest

Basile

Tendance 2007

Basile, ou Basil, vient de *basileus*, mot qui signifie « roi » en grec, ou de l'arabe *bâdhil*, « très généreux ».
Saint Basile fut évêque de Césarée et docteur de l'Église au IVᵉ siècle. Mais c'est aussi et surtout le nom de la célèbre bande, groupe incontournable des années 1980, dont le premier but était de faire la fête ! C'est la chenille qui redémarre... et les petits Basile aussi. Ils sont un peu plus de 5 000 à s'être prénommés ainsi ces 20 dernières années. Basile reste un prénom rare, dépoussiéré par la vogue actuelle des vieux prénoms. Vassili, la forme slave de Basile, est beaucoup plus répandu dans les pays d'Europe de l'Est.

Caractérologie Il est difficile d'imaginer les Basile autrement que sous les traits de joyeux lurons. Ce sont pourtant des êtres calmes et studieux.

Fête

Les Basile se fêtent le 2 janvier.

 Nord-Ouest

Basile comme...
le journaliste et humoriste Basile de Koch

Fête

Les Bastien
se fêtent
le 20 janvier.

Centre
Sud-Ouest
Sud-Est

Bastien comme...
le champion
d'aviron français
Bastien Ripoll

Tendance
2
0
0
7

▲ Bastien

Plus tendance que le classique Sébastien, Bastien, son diminutif, est classé au 45ᵉ rang du top 50 des prénoms. Très courant au Moyen Âge, Bastien est resté longtemps un prénom de milieu populaire, comme en témoigne le court opéra-comique de Mozart, *Bastien et Bastienne*. Bastien, comme Sébastien, vient du grec *sebastos*, qui signifie « digne d'honneur ». Saint Sébastien était un officier romain qui prit la défense des martyrs chrétiens. Pour cela, il fut condamné à mourir transpercé de flèches à Rome, en 288. Bastien, c'est aussi le nom d'une star enfantine, le chanteur français Bastien, célèbre pour son bestiaire alphabétique.

Caractérologie Indépendants et résolus, les Bastien ont le goût du savoir. Ils aiment tout particulièrement les activités intellectuelles, comme la méditation.

Fête

Les Charles se
fêtent le
4 novembre.

Région
parisienne

Charles comme...
le comédien
français
Charles Berling

Tendance
2
0
0
7

▲ Charles

Classique par excellence, Charles est un prénom hors du temps, même s'il est aujourd'hui beaucoup moins en vogue qu'au début du siècle dernier.
Charles vient du germanique *karl*, qui signifie « viril ». Charles est un prénom emblématique de l'histoire de France : de Charles Iᵉʳ, dit Charlemagne, l'un de nos plus célèbres souverains, à Charles de Gaulle, autre personnalité d'exception et toujours grand inspirateur des hommes politiques actuels, voilà un prénom qui semble destiné aux plus hautes fonctions ! Fort heureusement, les pitreries d'un autre Charles, Charlie Chaplin, dit Charlot, donnent un peu de fantaisie et de poésie à un nom de baptême qui serait sinon lourd à porter !

Caractérologie Les Charles sont aimables et généreux. Ils ont le sens de l'intérêt général et aiment partager leurs connaissances.

• Clarisse

Tendance 2007

Fête
Les Clarisse
se fêtent
le 12 août.

Clarisse est un dérivé du plus traditionnel Claire. Ce prénom peu courant est en vogue depuis une dizaine d'années. Clarisse est aussi le nom de l'ordre religieux fondé par sainte Claire, disciple de saint François d'Assise, qui prêchait l'humilité et la pauvreté. Sainte Clarisse, baptisée du nom de l'ordre qui l'accueillit, était une abbesse du VIIe siècle. Elle fit écrire la vie de saint Romaric, fondateur de l'abbaye qui a donné naissance à Remiremont.

Clarisse vient du latin *clara*, qui signifie « claire ». Parmi les Clarisse célèbres, citons Clarisse d'Entraigues, personnage de la saga Arsène Lupin interprétée à l'écran par la belle Eva Green, et la jeune chanteuse Clarisse Lavanant.

Est
Centre

Caractérologie Secrètes et rêveuses, les Clarisse ont du cœur. Parfois trop sensibles, elles ont une certaine tendance à la mélancolie.

▲ Clément

Tendance 2007

Fête
Les Clément
se fêtent
le 23 novembre.

Clément et son féminin Clémence sont des valeurs sûres, respectivement aux 10e et 34e rangs des prénoms les plus attribués.

Clément vient du latin *clemens*, qui signifie « bon, compatissant », une étymologie qui explique l'engouement pour ce prénom aux premiers temps de la chrétienté. Saint Clément était le fils d'un affranchi romain. Il fut converti et ordonné prêtre par saint Pierre, dont il fut le troisième successeur à Rome, en l'an 88.

Parmi les Clément célèbres, citons Clément Ader, l'un des pères de l'aviation moderne, inventeur notamment de l'aéroglisseur, et Clément Marot, poète français à la cour de François Ier.

France
entière

Clément comme...
l'acteur français
Clément Sibony

Caractérologie Les Clément sont tout spécialement appréciés pour leur gentillesse. Leur caractère doux et posé en fait d'excellents médecins ou enseignants.

▲ Édouard

Tendance 2007

Voilà un prénom qui paraît abonné au Bottin mondain ! Édouard, prénom bourgeois par excellence, était autrefois fréquemment associé à Charles. De nombreux saints portèrent ce prénom, dont saint Edward le Martyr. Fils aîné du roi des Anglo-Saxons, il monta sur le trône à 14 ans et voulut imposer un mode de vie austère à la cour et à sa belle-mère. Celle-ci, furieuse, l'assassina avec la complicité de ses amants.

Édouard vient du germain *ed*, qui signifie « richesse », et de *waden*, qui veut dire « gardien ». Cette étymologie explique sans doute la fréquence de ce prénom dans les milieux bancaires et financiers. À cent lieues de cet univers, citons Édouard Molinaro, réalisateur et scénariste de l'inoubliable *Cage aux folles* !

Caractérologie   Énergiques et audacieux, les Édouard ont un sens aigu de l'analyse. Ils aiment défricher des terrains inconnus.

Fête

Les Édouard se fêtent le 5 janvier.

Ouest
Région
parisienne

Edouard comme...
l'acteur français
Edouard Baer

▲ Félix

Tendance 2007

Difficile de ne pas penser au minois mutin d'un chat noir et blanc ! Félix le chat est le héros d'une bande dessinée des années 1920-1930 créée par l'Australien Pat Sullivan. Sorte de Charlot félin, son chat se débat avec les difficultés de l'existence, à la recherche d'un toit, d'un lit, d'un peu de nourriture. Il traduit la misère des chômeurs et des oubliés de la grande croissance économique américaine des années 1920.

Félix était un prénom plutôt courant dans la première moitié du XXe siècle et il est à nouveau en vogue depuis une dizaine d'années. Félix vient du latin *felix* qui signifie « chanceux ». Parmi les Félix célèbres, citons le compositeur allemand Félix Mendelssohn Bartholdy et le chanteur québécois Félix Leclerc.

Caractérologie   Les Félix sont des aventuriers. Généreux et casse-cou, ils prennent volontiers la défense de la veuve et de l'opprimé !

Fête

Les Félix se fêtent le 12 février.

Ouest
Est
Sud-Ouest

Félix comme...
l'homme politique
français
Félix Eboué

• Jeanne

Tendance
2007

Fête

Les Jeanne
se fêtent le 8 mai.

À l'instar de Jean, son féminin Jeanne est l'un des prénoms les plus répandus en Europe. Sous ses différentes formes, Jane en Angleterre, Giovanna en Italie, Juana et Juanita en Espagne, il figure toujours parmi les prénoms les plus attribués. En France, la Jeanne la plus célèbre est bien entendu Jeanne d'Arc. Après avoir délivré Orléans et fait sacrer, en 1429, le roi Charles VII à Reims, Jeanne la Pucelle fut vendue aux Anglais et jugée à Rouen par un tribunal ecclésiastique présidé par l'évêque Cauchon. Condamnée à mort, elle fut brûlée vive en public sur la place du Vieux-Marché le 30 mai 1431.
Jeanne est classée 38ᵉ dans le top 50 des prénoms d'aujourd'hui.

France
entière

Jeanne comme…
l'actrice française
Jeanne Moreau

Caractérologie Réfléchies et profondes, les Jeanne détestent les emportements et les revirements brutaux. Elles choisissent toujours les options raisonnables.

▲ Léon

Tendance
2007

Fête

Les Léon se fêtent
le 10 novembre.

Prénom courant au XIXᵉ siècle et jusqu'au milieu du XXᵉ, Léon avait ensuite presque disparu des registres d'état civil. Depuis quelques années, son diminutif Léo est la mode, et Léon réapparaît peu à peu, porté par la vogue des prénoms courts. Léon et Léo viennent du latin *leo*, qui signifie lion.
Saint Léon, né en Toscane en 397 et élu pape en 440, est surtout célèbre pour ses courageuses négociations auprès d'Attila, puis de Genséric, qui permirent de sauver Rome de la barbarie des envahisseurs Huns et Vandales.

Ouest
Sud-Ouest

Léon comme…
l'homme politique
français Léon Blum

Caractérologie Les Léon sont dotés d'une forte personnalité. Ils ne manquent ni d'audace ni d'énergie et font preuve d'une grande clairvoyance. Ils se sentent tout particulièrement à l'aise dans les postes à responsabilités.

• Léopoldine

Cette version féminine de Léopold n'a jamais été très répandue. Beaucoup moins en vogue que Léontine, prénom vedette de la bourgeoisie des XVIIIᵉ et XIXᵉ siècles, elle semble sortir de l'oubli depuis quelques années. Dans la lignée des Honorine, Ernestine et Léonie, Léopoldine plait surtout aux milieux aisés.

Léopold vient du germanique *liut*, « peuple », et *bald*, « audacieux ». Saint Léopold Margrave d'Autriche était un parent de l'empereur Frédéric Barberousse. Grand protecteur de l'Église, il fonda la célèbre abbaye bénédictine de Mariazell et mourut en 1136. C'est aujourd'hui le saint patron de l'Autriche.

Caractérologie Les Léopoldine sont sociables et spontanées. Leur gai caractère en fait des personnalités attirantes et recherchées.

▲ • Louison

Depuis 10 ans, Louise figure dans le top 50 des prénoms les plus attribués. Un succès qui ne s'est pas démenti au cours des siècles ; Louise fût le prénom le plus répandu pendant la dernière moitié du XIXᵉ siècle. Louise ou Louisa figurent également en bonne place dans les palmarès des prénoms féminins aux États-Unis et en Angleterre. Cela lui donne une dimension internationale qui plaît beaucoup aux couples mixtes.

Louise, féminin de Louis, vient du germain *hold*, « célèbre », et *whig*, « combat », qui donna tout d'abord naissance au prénom Clothilde. Son diminutif mixte Louison, aux sonorités terriblement rétro, fait une entrée remarquée dans les registres d'état civil.

Caractérologie Les Louison sont plein(e)s de charme mais leur caractère sensible les rend instables, surtout à l'adolescence. Ils (elles) font preuve de beaucoup d'humanité.

▲ Lucien

Tendance 2007

Les Lucien
se fêtent
le 18 octobre.

Région
parisienne

Comme Lucie, Lucien est un dérivé de Luc. Mais contrairement à Lucie ou Lucas, ce prénom est aujourd'hui devenu rare. Saint Lucien était un prêtre romain, envoyé en mission par le pape Fabien dans le Beauvaisis, à la fin du IIIᵉ siècle, où il mourut en martyr. Lucien est aussi le véritable prénom de Serge Gainsbourg. Le talentueux Gainsbarre, né Lucien Ginsburg en 1928 à Paris, découvre la vraie vie à 17 ans en arpentant le Saint-Germain-des-Prés du jazz et des zazous. Mais ce n'est qu'à 26 ans qu'il connaîtra ses premiers succès avec son nom de scène : Serge Gainsbourg. Le chanteur d'origine russe a eu deux enfants : Charlotte, avec Jane Birkin, et Lucien, dit « Lulu », avec Bambou (Pauline Von Paulus).

Lucien comme...
Lucien Bonaparte,
frère de l'empereur
Napoléon

Caractérologie Doués pour la réflexion et la méditation, les Lucien ont aussi de grandes qualités relationnelles.

▲ Martin

Tendance 2007

Les Martin
se fêtent
le 11 novembre.

Ouest
Nord
Sud-Ouest

Comme la plupart des prénoms romains, Martin a connu une éclipse pendant la première partie du Moyen Âge. Puis, dès le XIᵉ siècle, il se diffuse dans toute l'Europe où il rencontre un large succès populaire. En France, il devient l'un des trois noms de famille les plus répandus. Martin vient du latin *martinus*, qui signifie « petit Mars », en référence au dieu de la guerre. Saint Martin, qui est né en Hongrie vers 316, était d'ailleurs un militaire de la garde impériale. Selon la légende, lors d'une ronde qu'il effectuait un jour d'hiver, il croisa un mendiant et lui donna la moitié de son manteau. Le soir même, le Christ lui apparut portant l'étoffe. L'histoire le considère comme le fondateur de l'Église des Gaules.

Martin comme...
le comédien français
Martin Lamotte

Caractérologie Optimistes et volontaires, les Martin sont d'humeur toujours égale. On les dit créatifs et pragmatiques.

• Ninon

Fête

Les Ninon
se fêtent
le 14 janvier.

Sud-Ouest

Ninon comme...
la styliste française
Ninon Caplain

Sainte Ninon, ou Nina, vivait au IVᵉ siècle en Géorgie. C'était une esclave chrétienne de la cour royale de Mzkhéta. Après avoir guéri un enfant, elle sauva la reine qui se mourait et la convainquit de se convertir.

Nina serait une abréviation de Christina, la chrétienne. Mais la postérité garde surtout le souvenir d'une autre Ninon, courtisane, femme de lettres et brillant esprit de la cour de Louis XIV, la belle Ninon de Lenclos. Sa vie durant, elle eut de nombreux amants, n'hésitant pas à séduire jusque dans l'extrême vieillesse. « Je n'ai jamais eu que l'âge du cœur », affirmait-elle.

Caractérologie Charmeuses et affables, les Ninon sont d'insatiables curieuses. Elles ont une grande capacité de travail qu'elles mettent facilement au service des autres.

• Noémie

Fête

Les Noémie se
fêtent le 21 août.

France
entière

Noémie comme...
l'actrice
et Top model
Noémie Lenoir

Jusque dans le milieu des années 1980, Noémie avait presque totalement disparu des registres d'état civil. Puis, vogue des vieux prénoms oblige, il s'est hissé dans le top 50 français pour ne plus le quitter. Chaque année, 2 000 à 2 500 petites filles reçoivent Noémie en nom de baptême. Au Québec, l'engouement est encore plus important. Noémie, qui signifie « belle » en hébreu, est un personnage discret de la Bible, citée par saint Matthieu comme l'un des ancêtres de Jésus. Quant à Naomie qui en dérive, c'est le nom de l'un des plus célèbres mannequins des années 1990, la sublime Naomi Campbell, surnommée la panthère noire.

Caractérologie Avides de savoir, les Noémie font preuve d'une grande sagacité alliée à une vision souvent originale du monde.

▲ Simon

Tendance
2
0
0
7

Simon était le prénom originel de Pierre, le premier apôtre. Celui-ci gardera d'ailleurs longtemps le nom de Simon Pierre chez les premiers chrétiens. Simon, abréviation de Siméon, vient de l'hébreu *shimeone*, « Dieu a entendu ma souffrance ». Très courant dans les populations juives de l'Antiquité, Simon est toujours un prénom répandu. Environ 1 000 petits garçons sont prénommés ainsi chaque année. Le saint Simon le plus célèbre n'est cependant pas un saint homme mais un duc ! Louis de Rouvroy, duc de Saint-Simon, plus connu sous le simple nom de Saint-Simon, raconta par le menu la vie à la cour de Louis XIV et de Louis XV dans des *Mémoires* qui portent son nom.

Caractérologie Les Simon sont des êtres raisonnables. Ils aiment les belles choses mais détestent l'ostentation et plus généralement tous ceux qui manquent d'humilité.

Fête

Les Simon
se fêtent
le 28 octobre.

Nord
Centre
Ouest
Sud-Ouest

Simon comme...
l'acteur français
Simon
de La Brosse

● Suzanne

Tendance
2
0
0
7

Ce prénom biblique fait un retour en force. Très en vogue en France au début du XXᵉ siècle, puis dans les pays anglophones dans les années 1970, il avait depuis lors perdu du terrain. Suzanne vient de l'hébreu *shushan*, « lys », fleur symbole de pureté. Dans l'Ancien Testament, Suzanne est la jeune et chaste épouse de Joachim, un riche Babylonien. D'une grande beauté, la jeune femme attire la convoitise de deux vieillards qui tentent de la séduire. Mais elle les repousse et ceux-ci, pour se venger, l'accusent d'adultère. C'est le prophète Daniel qui démontera la machination ourdie contre la jeune femme et fera condamner et lapider les deux parjures.

Caractérologie Audacieuses et indépendantes, les Suzanne ne craignent ni la difficulté ni les critiques et savent toujours trouver des arguments lorsqu'il s'agit de défendre leurs idées.

Fête

Les Suzanne
se fêtent
le 11 août

Est

Suzanne comme...
l'écrivain
Suzanne Sontag,
la chanteuse
Suzanne Vega

Fête

Les Victoire
se fêtent
le 14 février.

Ouest
Nord
Centre

• Victoire

C'est l'un des prénoms les plus en vogue dans les quartiers chic. Les petites Victoire ont d'ailleurs une égérie, symbole d'élégance et de haute lignée, Victoire de Castellane, créatrice de bijoux pour la maison Dior. La talentueuse designer a son credo : « Le luxe accepte tous les caprices de l'imagination. » De quoi inspirer des vocations chez ses petites consœurs ! Victoire vient du latin *victoria*, qui signifie « victoire ». Toutefois, c'est à la Révolution française que ce prénom dérivé de Victor devint populaire. Il existe une sainte Victoire, qui était membre de la noblesse génoise. Elle fonda l'ordre des Annonciades au XVIᵉ siècle et donna son nom à une célèbre montagne aixoise.

Caractérologie Diplomates et sociables, les Victoire ont le sens de l'analyse. Elles sentent les tendances et sont à l'aise partout.

Fête

Les Zoé se fêtent
le 2 mai.

France
entière

Zoé comme...
l'actrice française
Zoé Félix

• Zoé

C'est l'un des prénoms préférés des Français. Étrange retour en grâce pour un prénom presque disparu de nos registres d'état civil, plus guère porté que par quelques nonagénaires. Depuis 1990, Zoé est à la mode en France mais aussi en Grande-Bretagne. Et il inspire les auteurs de livres pour enfants. Ainsi, Zoé Késako, la turbulente héroïne imaginée par Véronique Saüquere, est là pour leur donner mille idées de bêtises.

Zoé vient du grec *zoé*, « vie », « destin ». Sainte Zoé était, au début du IIᵉ siècle, une esclave au service d'un citoyen romain établi à Attalia (actuellement Anatalya, en Turquie). Elle fut brûlée vive avec sa famille pour avoir refusé d'accompagner ses maîtres à un sacrifice aux idoles.

Caractérologie Les Zoé ont un sacré caractère ! Elles sont imprévisibles et fantasques, mais attachantes et affectueuses. On leur pardonne tous leurs caprices.

Prénoms régionaux

• Ainoa

Tendance 2007

Fête

Les Ainoa
se fêtent
le 15 août.

Sud-Ouest

Dans le village d'Ainoa, au Pays basque, un sanctuaire est dédié à la Vierge. Peu à peu Ainoa est devenu l'équivalent basque de Marie, et de nombreuses petites filles ont été ainsi prénommées des deux côtés de la frontière.

Très en vogue en Espagne, Ainoa, ou Ainhoa, pourrait devenir l'un des prénoms tendance des prochaines années et connaître le succès d'une autre forme de Marie, Manon. C'est déjà le prénom d'une ravissante diva, la soprano Ainoa Arteta, surnommée la « favorite de Placido Domingo ».

Caractérologie Chanceuses, les Ainoa sont connues pour mettre leur bonne fortune au service de projets parfois fantasques dont elles se lassent vite.

• Anaëlle

Tendance 2007

Fête

Les Anaëlle
se fêtent
le 26 juillet.

Ouest

Les dérivés régionaux d'Anne ont décidemment le vent en poupe. Avec Anaïs, la Provençale, Anaëlle la Bretonne fait de plus en plus d'adeptes. Anaël, ou Anaëlle, est la transcription celtique du grec *agellos*, « ange ». Anaëlle signifierait Anne-Ange. Apparu dans les années 1960 à la faveur de la mode armoricaine, Anaëlle, désormais dans le top 100, rattrape peu à peu le plus classique Anne, pourtant authentique prénom breton.

Dans la Bible, sainte Anne est la mère de la Vierge Marie. C'est aussi la patronne de la Bretagne et celle des marins. Elle fait l'objet d'un culte particulier à Sainte-Anne-d'Auray, où est exposée une statue miraculeuse.

Caractérologie Aussi remuantes que curieuses, les Anaël croquent dans la vie à pleines dents. Elles affrontent toutes les situations avec beaucoup de courage.

Les Anaïs se fêtent
le 26 juillet.

Sud-Est

● Anaïs

Anaïs vient de l'hébreu *hannah*, qui signifie « grâce ». Beaucoup plus en vogue que le traditionnel Anne, Anaïs est désormais un classique installé au 14ᵉ rang du top 50. Dans la religion chrétienne, sainte Anne, patronne de la Bretagne, est la mère de la Vierge, donc la grand-mère de Jésus. Entre autres activités, elle veille sur les femmes en couches, les mères, mais aussi les menuisiers et les tourneurs. Bref, c'est une femme active !

La plus célèbre des Anaïs est sans aucun doute l'écrivain Anaïs Nin. Depuis peu néanmoins, la jeune chanteuse Anaïs Roze impose sa fantaisie.

Caractérologie Les Anaïs sont ambitieuses et passionnées. À la futilité, elles préfèrent la gravité, aux rêves vains, les réalités quotidiennes, ce qui ne les prive pas d'un réel sens artistique.

● Angèle

Les Angèle
se fêtent
le 27 janvier.

Sud-Est

Angèle est le féminin d'Ange et un dérivé d'Angélique. Ce prénom n'a jamais été très répandu en France sous sa forme féminine ou masculine. Sa version latinisée, Angela, est en revanche très en vogue dans les pays italophones, hispanophones et anglophones.

Au début du XVIᵉ siècle, sainte Angèle (Angèle Merici) fonda en Lombardie l'ordre des Ursulines, qui était destiné à l'éducation des jeunes filles pauvres. Angèle est la première fille de l'actrice Miou-Miou et de son compagnon de l'époque, l'acteur Patrick Dewaere. Miou-Miou a eu par la suite une deuxième fille, Jeanne, avec le chanteur Julien Clerc.

Caractérologie Les Angèle ont le cœur sur la main. Elles sont capables d'une grande compassion mais aussi, quand il le faut, d'une certaine autorité.

▲ Antonin

Version provençale d'Antoine, Antonin, ou Antounin, était déjà très courant dans l'Antiquité. Ce fut d'ailleurs le nom d'un grand empereur romain, Antonin le Pieux, successeur d'Hadrien, qui régna au IIᵉ siècle. Rome connut sous son règne l'une de ses périodes les plus prospères. Saint Antonin, dominicain italien, fut nommé archevêque de Florence en 1436. Il s'illustra par ses actions en faveur des plus déshérités. En France, c'est un poète né à Marseille en 1896 qui a inscrit son prénom à la postérité littéraire. Antonin Artaud, chef de file du mouvement surréaliste, s'épuisera dans une quête d'absolu qui le conduira plusieurs fois jusqu'à l'internement.

Caractérologie Incapables de compromis et épris de liberté, les Antonin ont pour habitude de travailler et de se battre sans relâche pour voir triompher leurs idéaux.

Fête
Les Antonin se fêtent le 13 juin.

Sud-Est

Antonin comme...
le pâtissier Antonin Carême

▲ Antton

À l'entrée du village d'Espelette, face au marché couvert, se situe une maison connue de tous les gourmands du Pays basque. *La Chocolaterie Antton* fabrique ici depuis longtemps des chocolats fins dans les règles de l'art. Antton est la forme basque de l'indémodable Antoine. Moins en vogue que sa version nationale, Antton devrait bénéficier de la vogue des prénoms régionaux.

Antton et Antoine viennent du latin *antonius*, qui signifie « inestimable », et du grec *anthos*, « fleur ». Saint Antoine de Padoue, le célèbre prélat portugais, né à Lisbonne en 1195, aide depuis toujours les distraits à retrouver leurs objets perdus.

Caractérologie Les Antton sont des travailleurs acharnés. Bienveillants, ils sont à fois volontaires et consciencieux. Ils peuvent compter sur des amis nombreux et fidèles.

Fête
Les Antton se fêtent le 13 juin.

Sud-Ouest

Antton comme...
le cycliste espagnol Antton Luengo

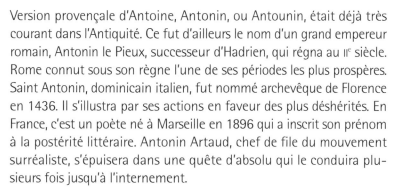

Tendance 2007

Fête

Les Arman
se fêtent
le 23 décembre.

Sud-Ouest

▲ Arman

Arman est la version basque du prénom Armand. Arman et Armand viennent du germanique *hart*, « fort », et *mann*, « homme ». Devenu rare en France depuis la seconde moitié du XXe siècle, Armand est encore répandu sous sa forme allemande : Herman.

Au XIIe siècle, saint Armand, ou Hartmann, originaire de la Bavière, entre dans l'ordre des chanoines réguliers de Saint-Augustin. Il réforme de nombreuses communautés de son ordre puis devient évêque de Brixen dans le Tyrol italien. Mais c'est surtout le peintre Arman, né Armand Pierre Fernandez le 17 novembre 1928, qui marquera la postérité grâce à ses étonnantes compressions.

Caractérologie Intuitifs et fidèles à leurs idées, les Arman possèdent un vrai talent pour la communication. Ils inspirent spontanément la confiance ce qui les met souvent en position d'être d'excellents médiateurs.

Tendance 2007

Fête

Les Aubin se
fêtent le 1er mars.

Sud-Ouest
Ouest

▲ Aubin

C'est la forme gasconne d'Albin ou Alban, prénom dérivé du latin *albus*, qui signifie « blanc ». Aubin était un prénom assez courant dans les campagnes françaises d'avant la Révolution. Il existait également en Bretagne où il donna son nom à un évêque courageux, saint Aubin d'Angers, originaire de Vannes. Celui-ci réforma l'Église franque avec une grande fermeté. Dans cette époque barbare, il tenta d'adoucir le sort des prisonniers et des malheureux. Il combattit ardemment l'inceste très répandu chez les grands seigneurs mérovingiens. Saint Aubin a également donné son nom à l'un des plus jolis quartiers de Toulouse.

Caractérologie Déterminés et inflexibles, les Aubin mettent leurs idéaux au-dessus de tout. Ils sont également très intuitifs.

▲ Corentin

Longtemps considéré comme un prénom typiquement breton, Corentin a perdu son étiquette régionale. Chaque année, environ 5000 petits garçons sont baptisés ainsi dans toute la France.
Saint Corentin était un ermite de la forêt armoricaine, renommé pour ses miracles. La légende veut qu'il consommât chaque jour un poisson dont il rejetait ensuite l'arête dans le bassin d'une fontaine... et l'arête redevenait poisson ! Le roi Gradlon en fit le premier évêque de Quimper. Corentin vient du celtique *carent*, qui signifie « parent ». Corentin Cariou (1898-1942), qui a donné son nom à une station de métro parisienne, était conseiller municipal. Il fut fusillé comme otage par les Allemands pendant l'Occupation.

Caractérologie Les Corentin sont d'un naturel aimable. Toujours disponibles et souriants, ils adorent rendre service et sont d'une fidélité à toute épreuve.

Fête

Les Corentin se fêtent le 12 décembre.

 Ouest

Corentin comme...
le résistant français
Corentin Celton

▲ Eneko

Eneko est une forme basque d'Ignace, du latin *ignis*, « feu ». Totalement démodé, Ignace ne devrait guère retrouver la faveur des parents avant longtemps. Sa forme basque en revanche semble promise à un plus bel avenir. Eneko Arista fut le premier roi des Basques. Né en 824 de l'union d'Oneka et Inigo Arista, le jeune Eneko hérite de territoires allant de Pampelune jusqu'aux hautes vallées des Pyrénées, de l'Irati (Navarre) au val d'Hecho (Aragon). Ce qui deviendra le royaume de Navarre est alors l'objet de multiples convoitises, mais Eneko se rallie les musulmans et les chrétiens soucieux de défendre leur indépendance. Il crée ainsi un royaume qui lui survivra sept siècles.

Caractérologie Passionnés et tenaces, les Eneko ont une nature joviale et généreuse. Ils savent se battre pour défendre leurs idées.

Fête

Les Eneko se fêtent le 31 juillet.

 Sud-Ouest

Eneko comme...
le commissaire
européen Eneko
Landaburu

Fête

Les Fanny se
fêtent le 9 mars.

Sud-Est

Fanny comme...
l'actrice française
Fanny Ardant

• Fanny

Tendance
2007

Fanny est la forme provençale de Françoise. C'est aussi l'un des plus grands succès de Marcel Pagnol. Son film, sorti en 1932, déclencha la polémique chez les derniers nostalgiques du cinéma muet, alors moribond. Quelques décennies plus tard, il reste le charme extraordinaire d'une histoire de vie et d'amour magnifique. Fanny y était interprétée par Orane Demazis, madame Pagnol à la ville. Mais, le saviez-vous ? Dans les pays anglophones, Fanny est aussi le diminutif de Frances et désigne en argot courant une partie de l'anatomie qu'en général... on dissimule ! En France depuis 1980, Fanny se classe dans le top 50 des prénoms féminins.

Caractérologie Espiègles et têtues, les Fanny savent charmer leur entourage. Elles sont également pragmatiques et souvent d'excellent conseil.

Fête

Les Julen se fêtent
le 12 avril.

Sud-Ouest

▲ Julen

Tendance
2007

Julen est le prénom fétiche des supporters de l'Athletic Bilbao. L'international espagnol, Julen Guerrero, né le 7 janvier 1974 à Portugalete, resta, malgré les sollicitations des plus grandes formations, fidèle à son club. Voilà de quoi soulever l'enthousiasme dans le monde plutôt ingrat du football. Julen est la forme basque de Jules, l'un des prénoms vedettes du top 50.
Saint Jules Ier naquit à Rome en 282 et fut élu pape en 337. Destin certes prestigieux mais moins spectaculaire que celui du plus célèbre des Romains : Jules César, bien sûr ! Jules vient du latin *iulus*, qui signifie « doux au toucher ».

Caractérologie D'un naturel rêveur et introverti, les Julen sont des personnalités sensibles et attachantes. Ils sont avant tout respectueux de leurs engagements.

• Maiana

Les Maiana
se fêtent
le 15 août.

Combinaison de Marie et d'Anna, ce prénom double est originaire du Pays basque. À l'instar de son cousin Maité, il s'orthographie principalement sans tréma.
Maiana est un prénom rare mais ses sonorités graves en font un candidat crédible à un prochain engouement. Pour les amoureux d'horizons lointains, Maiana est aussi un atoll des Kiribati, dans l'archipel des îles Gilbert. Mais c'est également le prénom de la jeune héroïne de la série *Quetzalcoatl,* créée par le dessinateur Mitton, cette jeune indienne de vingt ans qui échappe *in extremis* à un sacrifice aztèque pour vivre mille aventures.

Sud-Ouest

Maiana comme...
l'actrice anglaise
Maiana Vazy

Caractérologie Les Maiana dévorent l'existence à belles dents. Généreuses et volontaires, elles ont la réputation de conduire leur vie à un train d'enfer.

• Manon

Les Manon
se fêtent
le 15 août.

Et peuchère ! Marcel Pagnol n'en croirait certainement pas ses oreilles : Blaise, César, Ugolin, Manon, Marius, Marinette et Fanny, tous ses personnages ont envahi les cours de récréation. Désormais, il y a des milliers de petites Lilloises et de petits Parisiens qui se réveillent au son des cigales.
Manon est un dérivé de Marie, « celle qui élève » en hébreu. Cependant, Manon, c'est également le prénom de l'héroïne d'un classique de la littérature française, *Manon Lescaut*, roman d'amour et d'aventures écrit par l'abbé de Prévost en 1753 et qui fit scandale en son temps.

Sud-Est

Manon comme...
la styliste française
Manon Martin

Caractérologie Les petites Manon ont la tête dure ! On ne peut les contraindre à faire ce qu'elles ne veulent pas. Elles font preuve d'un bel esprit de liberté qu'elles mettent au service d'un optimisme sans faille.

Fête

Les Marius
se fêtent
le 19 janvier.

Sud-Est

Marius comme...
l'acteur
et réalisateur
américain
Marius Goring

Tendance
2007

▲ Marius

Il est impossible d'évoquer Fanny sans citer le beau Marius, l'éternel fiancé. Dans le monde de Pagnol, Marius a les traits de Pierre Frenet et il continue encore aujourd'hui de conquérir les cœurs avec sa touchante maladresse.

Le prénom Marius vient d'un nom romain dérivé de Mars, le dieu de la guerre. Marius doit sa célébrité à un général romain, oncle par alliance de Jules César qui, en 101, sauva la république de Rome de l'invasion des Teutons, peu avant l'instauration de l'empire. Depuis l'Antiquité, Marius ne subsistait plus guère qu'en Provence, mais il est de nouveau en vogue.

Caractérologie Brusques, mais le cœur tendre, les Marius sont des êtres réputés pour leur grande fidélité. Ils sont aimés pour leur extrême franchise.

Fête

Les Maylis se
fêtent le 15 août.

Ouest

Maylis comme...
l'écrivain Maylis
de Kerangal

Tendance
2007

● Maylis

Ce prénom féminin proche de Maëlle est très tendance depuis quelques années. Tout d'abord adopté par les milieux bourgeois, on le retrouve aujourd'hui un peu partout dans l'Hexagone. Depuis 2002, Maylis fait partie du top 100 des prénoms féminins français.

Maylis est une variante armoricaine de Marie, prénom fréquent dans les familles traditionnelles. La plus célèbre des Marie est sans conteste la mère de Jésus, la Vierge Marie. Toutefois, jusqu'au XIe siècle, Marie était un prénom jugé trop sacré pour qu'on le donne en nom de baptême – d'où le succès de ses variantes régionales telles que Manon ou Maylis.

Caractérologie Les Maylis ont de nombreuses qualités. Cependant, c'est surtout leur grande compassion qui en fait des êtres appréciés de tous ceux qui les côtoient.

• Nolwenn

Tendance 2007

Ouest

Voilà un prénom typiquement breton à la diffusion exceptionnelle. Certes, depuis la deuxième *Star Academy*, c'est celui d'une jeune chanteuse à succès, Nolwenn Leroy. Mais l'engouement pour ce prénom celtique remonte bien plus loin, aux années 1970. Nolwenn vient du celtique *aonoan*, « agneau », et *gwenn*, « blanc, pur, sacré ». Selon la légende, sainte Nolwenn était la fille d'un prince de Cornouailles. Au VIe siècle, à la recherche d'un lieu solitaire pour s'y livrer à la prière, elle débarqua sur la côte du pays vannetais. Un seigneur du lieu prétendit l'épouser ; elle refusa. Le tyran, furieux, la fit décapiter. À Noyal-Pontivy, la chapelle Sainte-Noyale perpétue son souvenir.

Caractérologie Exaltées et sensibles, les Nolwenn ont un tempérament passionné et impulsif. Elles s'épanouissent dans les activités créatives qui laissent libre cours à leur sensibilité.

▲ Paulin

Tendance 2007

Sud-Est

Paulin comme...
le poète Paulin de Nole

Ce diminutif de Paul n'est pas à proprement parler un prénom provençal. Mais il n'y a plus guère qu'en Provence qu'il subsistait jusque récemment.
Paulin n'a jamais eu le succès de sa version féminine, Pauline, qui caracole dans le top 50 des prénoms depuis plus de trente ans. Paulin vient du latin *paulus*, qui signifie « petit ». Au IXe siècle, saint Paulin passait pour être l'un des hommes les plus savants de son époque. Alcuin le considérait comme son maître et l'empereur Charlemagne l'appela à sa cour avant de le faire nommer évêque d'Aquilée, dans le Frioul italien.

Caractérologie Amoureux des belles choses, les Paulin ont une nature contemplative. Ils ne se laissent jamais emporter par des excès d'humeur et ils savent faire preuve d'attention et de délicatesse.

• Solène

Fête

Les Solène se
fêtent le 10 mai.

Centre
Ouest

Solène comme...
la championne de
natation française
Solenne Figuès

Solène n'est pas à proprement parler un prénom armoricain, mais un prénom de l'ouest de la France. Autrefois, on le retrouvait fréquemment en Beauce, dans le Poitou, en Charente et dans le Berry.

Solène est une variante régionale de Solange. Solange et Solène viennent du latin *solennis*, qui signifie « solennel ». Depuis le début des années 1970, ce prénom se répand dans tout l'Hexagone. Sainte Solène, ou Zélie, serait une martyre du IIIe siècle. Elle aurait quitté son Poitou natal pour vivre dans un ermitage près de Chartres. Elle y fut victime des persécutions qui furent ordonnées par l'empereur Decius. Plusieurs localités, surtout dans le Poitou, portent son nom.

Caractérologie Fières et exigeantes, les Solène sont aussi d'une grande générosité avec ceux qu'elles aiment. Elles ne supportent pas le compromis.

▲ Tanguy

Fête

Les Tanguy
se fêtent
le 19 novembre.

Ouest

Tanguy comme...
l'écrivain français
Tanguy Viel

Tanguy est issu du celtique breton *tan*, « feu », et *ki*, « chien ». Longtemps cantonné à la Bretagne, Tanguy est aujourd'hui présent dans toute la France. Cette popularité est sans doute liée à celle de deux héros d'une bande dessinée : Tanguy et Laverdure !

Personne ne sait à quelle époque vécut saint Tanguy, mais sa légende est connue dans toute la Bretagne. Saint Tanguy était le fils d'un seigneur veuf et remarié de Trémazan. Il partit vivre à la cour, laissant sa sœur Haude derrière lui. À son retour, il se laissa convaincre par les calomnies de sa belle-mère et décapita sa jeune sœur dans un accès de rage. Pour expier sa faute, il entra dans les ordres et fonda un monastère.

Caractérologie Sentimentaux, passionnés et généreux, les Tanguy se fient à leur intuition. Pour eux, l'amitié est sacrée.

Prénoms d'ailleurs

• Andréa

Andréa a succédé au plus traditionnel Andrée, très en vogue dans la première moitié du XXᵉ siècle et totalement démodé aujourd'hui.
Andréa vient du grec *andreia*, qui signifie « bravoure ». Saint André fut le premier apôtre appelé par Jésus. Il entraîna son jeune frère Simon qui, rebaptisé Pierre, devint le fondateur de l'Église chrétienne. Après la résurrection du Christ, saint André partit évangéliser sur les bords de la mer Noire, puis il revint en Grèce où il mourut en martyr à Patras. Andréa est un prénom très courant en Italie où il est surtout porté par des hommes. Parmi les célébrités ainsi prénommées, citons l'actrice française Andréa Ferréol et l'une des plus prolifiques auteurs de romans policiers français, Andréa H. Japp.

Caractérologie Les Andréa s'adaptent partout. Elles ont un don naturel pour la communication, tout particulièrement orale.

Fête

Les Andréa se fêtent le 30 novembre.

Est
Sud-Est
Corse

Andréa comme...
le peintre italien
Andrea Mantegna

• Assia

Assia, ou Assya, vient de l'arabe *âsiya*, « celle qui soigne, qui exerce la médecine ». Dans la tradition musulmane, Asiya, ou Assia, est l'épouse du pharaon qui recueille Moïse bébé flottant dans son berceau sur le Nil. Elle est considérée par l'Islam comme une femme parfaite, vénérée pour sa foi et sa souffrance.
Aujourd'hui, le prénom Assia se dote d'un autre visage, celui d'une jeune chanteuse kabyle issue du mouvement rap et hip hop français. Son duo avec Julien Clerc l'a révélée au grand public. Depuis les années 1980, on compte un peu plus de 6 000 petites filles qui ont été prénommées ainsi.

Caractérologie Tenaces et fiables, les Assia ont un grand sens du devoir. Elles s'épanouissent particulièrement dans les professions médicales et sociales.

Fête

Les Assia n'ont pas de fête connue.

Nord
Centre
Région
parisienne
Sud-Est

Assia comme...
l'académicienne
algérienne Assia
Djebar

● Bertil

Parfois confondu avec Beryl, qui n'a pas du tout la même origine, Bertil est un prénom germanique qui signifie « illustre et habile ». Très en vogue dans les pays scandinaves, où il a donné le nom d'un prince suédois, Bertil n'apparaît en France que sous sa forme féminine, Bertille ou Bertile. Depuis les années 2000, Bertille bénéficie d'un nouvel engouement.

Sainte Bertille, ou Bertile, vécut au VIIᵉ siècle. Moniale de Jouarre, elle devint première abbesse de Chelles dans la Brie champenoise, à la demande de la reine Bathilde. Elle dirigea l'abbaye pendant quarante-six ans.

Caractérologie Les Bertil et Bertille sont dotées d'une nature discrète. Elles restent fidèles à leurs engagements quelles que soient les circonstances.

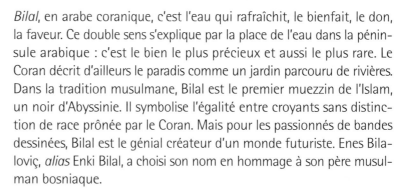

▲ Bilal

Fête

Les Bilal n'ont pas
de fête connue.

Nord
Centre
Région
parisienne
Sud-Est

Bilal, en arabe coranique, c'est l'eau qui rafraîchit, le bienfait, le don, la faveur. Ce double sens s'explique par la place de l'eau dans la péninsule arabique : c'est le bien le plus précieux et aussi le plus rare. Le Coran décrit d'ailleurs le paradis comme un jardin parcouru de rivières. Dans la tradition musulmane, Bilal est le premier muezzin de l'Islam, un noir d'Abyssinie. Il symbolise l'égalité entre croyants sans distinction de race prônée par le Coran. Mais pour les passionnés de bandes dessinées, Bilal est le génial créateur d'un monde futuriste. Enes Bilaloviç, *alias* Enki Bilal, a choisi son nom en hommage à son père musulman bosniaque.

Caractérologie Profondément intègres et même idéalistes, les Bilal sont de véritables altruistes. Ils savent faire preuve d'un grand sens de l'organisation.

• Cassandra

Voilà un prénom chargé d'une longue histoire ! Dans *L'Iliade* d'Homère, Cassandra est la fille de Priam, le dernier roi de Troie. Elle reçoit d'Apollon le don de prévoir l'avenir. Mais comme elle refuse ses avances, le dieu se venge en la condamnant à n'être jamais crue.

Cassandra vient du grec *kassandra*, qui signifie « qui aide les hommes ». Au Moyen Âge, Cassandra, ou Cassandre, était un prénom présent dans toute l'Europe. Il est encore aujourd'hui assez courant en Angleterre, en Finlande, en Italie et en Yougoslavie. Étonnamment, ce fut aussi un prénom phare de la communauté noire américaine dans les années 1940. En France, depuis 1990, il fait partie du top 100 des prénoms féminins.

Caractérologie Charismatiques et secrètes, les Cassandra aiment jouer les femmes d'influence. On les retrouve dans les sphères du pouvoir.

Fête

Les Cassandra n'ont pas de fête connue.

Centre
Sud-Ouest
Sud-Est

Cassandra comme...
la chanteuse américaine Cassandra Wilson

• Chiara

Chiara est la version italienne de Claire et vient du latin *clara*, qui signifie « claire ». Sainte Claire était une disciple de saint François d'Assise. Elle fonda l'ordre des Clarisses et prêcha toute sa vie l'humilité et la pauvreté. C'est aujourd'hui la sainte patronne de la télévision !

L'actrice Chiara Mastroianni est la fille de Catherine Deneuve et de Marcello Mastroianni. Elle a fait ses premiers pas à l'écran aux côtés de sa mère dans *À nous deux*, film de Claude Lelouch, en 1979, puis aux côtés de son père dans *Les Yeux noirs* (1980, Mikhalkov). C'est aujourd'hui la femme du chanteur Benjamin Biolay. Chiara est mère de deux enfants : Milo, né en 1997, et Anna, née en 2003.

Caractérologie Les Chiara sont volontiers exhibitionnistes et indociles, mais terriblement sensibles. Plus que tout au monde, elles détestent le mensonge.

Fête

Les Chiara se fêtent le 11 août.

Région parisienne
Sud-Est

▲ Dorian

Fête

Les Dorian
se fêtent
le 9 novembre.

Nord
Ouest
Centre
Région
parisienne
Sud-Est

Dorian comme...
l'acteur américain
Dorian Missick

Très courant aux États-Unis et en Grande-Bretagne, Dorian n'est pourtant pas un prénom d'origine celte... mais grecque ! Dorian est une forme anglo-saxonne de Théodore, prénom très répandu au Ier siècle de l'Antiquité.

Saint Théodore était un soldat romain qui vivait à Amasée, en Turquie d'Asie, au IIIe siècle. Il fut décapité pour avoir refusé d'abjurer sa foi. Sa vie, déjà exemplaire, fut embellie avec le temps. On lui attribua l'exploit d'avoir mis à mort un dragon, comme saint Georges et saint Dimitri. Mais c'est sans doute le roman d'Oscar Wilde, *Le Portait de Dorian Gray*, qui fit le succès d'un prénom jusque-là plutôt discret.

Caractérologie Les Dorian aiment raisonner. Ce sont des êtres qui détestent la brutalité comme la médiocrité. Ils s'épanouissent dans les professions scientifiques.

Tendance 2007

● Fabiola

Fête

Les Fabiola
se fêtent
le 27 décembre.

Sud-Est
Nord

Voilà encore un prénom de tête couronnée qui devient à la mode ! Fabiola est le diminutif de Fabia, féminin du latin *fabius*, qui a donné notre Fabienne française. Emportée par l'aura de la reine Fabiola de Belgique, la version latine de Fabienne est en pleine progression. Très courante en Italie et en Espagne, Fabiola était jusqu'à présent inconnue en France.

Sainte Fabiola, patricienne romaine du IVe siècle, fonda à Ostie le premier hôpital où l'on soignait gratuitement les pauvres. Elle alla visiter saint Jérôme en Terre sainte et créa à son retour une auberge pour les pèlerins. Ce joli prénom, candidat crédible des prochains tops 10, est aussi le nom de baptême de la fille de l'acteur Francis Perrin.

Caractérologie Lumineuses et créatives, les Fabiola détestent la routine et les contraintes. Elles s'épanouissent dans une vie de bohème.

• Flora

Dans les mythologies grecque et romaine, Flora est la déesse des fleurs et du printemps. C'est elle qui, chaque année, présidait à l'épanouissement des fleurs à la sortie de l'hiver. En son honneur, on organisait à Rome, entre le 28 avril et le 3 mai, des fêtes appelées les Floralies. Ce terme sert encore aujourd'hui pour désigner les expositions florales. Flora était un prénom courant dans l'Antiquité. Il fut ensuite remplacé par Florie, Flore ou Florence, des versions plus récentes. Sainte Flora était une jeune chrétienne de Cordoue, en Espagne, qui mourut en martyr au IXᵉ siècle pour avoir refusé d'abjurer sa foi. Flora est aussi le nom de la fille de la journaliste et présentatrice de télévision Danièla Lumbroso.

Fête

Les Flora se fêtent le 5 octobre.

Nord
Ouest
Sud-Ouest

Flora comme...
la femme de lettres franco-péruvienne Flora Tristan

Caractérologie Les Flora ne sont pas de douces écervelées. Elles font preuve d'une obstination toujours payante.

▲ Killian

Depuis le début des années 2000, Killian, sous ses différentes graphies (Kilian ou Kelyan), est entré dans le top 50 français des prénoms masculins. Il devrait occuper la tête du classement dans les mois à venir. Killian vient du gaélique irlandais *ceall*, ou *iill*, qui signifie « église », « contestation ». Saint Killian, ou Killien, fait partie des moines missionnaires irlandais qui parcoururent l'Europe au début du Moyen Âge. Il serait venu, avec onze compagnons, en Thuringe au VIIᵉ siècle. Il y fut massacré pour avoir dénoncé les mœurs dévoyées des seigneurs mérovingiens.
En février 2005, Claude Makelele, célèbre footballeur français, et le top model Noémie Lenoir ont eu un petit garçon prénommé Kelyan.

Fête

Les Killian se fêtent le 8 juillet.

Nord
Ouest
Centre
Région parisienne
Sud-Est

Caractérologie Énergiques et audacieux, les Killian se lancent à la découverte des terrains inconnus avec une volonté inébranlable.

▲ Lorenzo

Fête

Les Lorenzo se
fêtent le 10 août.

Région
parisienne
Sud-Est

Pour les Italiens, Enzo serait le diminutif de Lorenzo, notre Laurent français. On comprend l'émergence de ce classique italien entraîné par la vogue impressionnante d'Enzo depuis cinq ans ! Aujourd'hui Lorenzo a déjà rattrapé Laurent dans les classements, surtout dans le Midi de la France et en région parisienne.

Lorenzo vient du latin *laurus*, qui signifie « laurier ». Saint Laurent est le plus célèbre des nombreux martyrs romains. Il fut nommé évêque de Rome. Arrêté sur ordre de l'empereur Valérien, il fut condamné à être brûlé à petit feu en 258, ce qui lui doit d'être devenu le saint patron des cuisiniers et des rôtisseurs !

Caractérologie   Francs et séducteurs, les Lorenzo excellent dans les métiers de la communication. Ils sont en général très attachés à leur couple.

● Louna

Fête

Les Louna
n'ont pas
de fête connue.

Nord
Centre
Région
parisienne
Sud-Est

En 2002, Louna est entré dans le top 100 des prénoms féminins. Mais quelle est l'origine exacte de ce prénom ? Prénom berbère pour certains, dérivé du *luna* latin (la lune) pour d'autres, Louna signifierait « heureuse », « exaltée » en hawaïen. Un véritable tour du monde !

Dans les faits, Louna est très à la mode dans la communauté musulmane française. Sa sonorité évoque un autre prénom, Lounja, celui de la belle héroïne de nombreuses légendes. Dans les contes berbères, Lounja est la fille de Tseriel, une ogresse particulièrement terrifiante qui vit dans la forêt.

Caractérologie   Les Louna sont timides et rêveuses. Un peu introverties, elles s'épanouiront dans les professions laissant une grande part à la créativité.

▲ Marco

Marco, la forme italienne de Marc, gagne du terrain chaque année. Il est vrai que le Vénitien Marco Polo est sans doute l'aventurier le plus célèbre de l'histoire des grands explorateurs. Marco pourrait donc suivre les traces du très apprécié Enzo et gagner rapidement le top 10.

Marco vient du latin *marcus*, du nom de Mars, dieu de la guerre. Très répandu dès l'Antiquité, Marc a connu un succès international, notamment dans les pays anglophones sous la forme Marck. Saint Marc est l'auteur du second Évangile qu'il écrivit directement sous la dictée de saint Pierre, à Rome, en l'an 63.

Caractérologie Doués pour l'action, amoureux du risque, les Marco nourrissent de grandes ambitions, mais le succès ne les satisfait pas réellement.

Fête

Les Marco se fêtent le 10 août.

Région parisienne Sud-Est

Marco comme...
le réalisateur italien Marco Ferreri

▲ Mehdi

En arabe, Mehdi, ou Mahdi, signifie le « bien guidé », « celui qui est conduit par Dieu sur la bonne voie ». C'est l'un des nombreux prénoms du prophète Mahomet.

Mehdi est très répandu dans les pays musulmans, tout particulièrement au Maghreb. En France depuis 1980, Mehdi est entré dans le top 100 des prénoms masculins. Dans les années 1970, Mehdi El Glaoui, le fils de l'actrice Cécile Aubry, fut le héros et le jeune interprète des premiers feuilletons pour enfants de la télévision française, *Pony*, *Belle et Sébastien* ou *Sébastien parmi les hommes*, qui firent rêver toute une génération.

Caractérologie Secrets et charismatiques, les Mehdi sont d'une grande fidélité en amour. Il en va de même en amitié pour ce qui concerne leur vie sociale.

Fête

Les Mehdi n'ont pas de fête connue.

Nord Centre Région parisienne Sud-Est

Mehdi comme...
le réalisateur algérien Mehdi Charef

● Mélina

Mélina, ou Méline, vient du grec *meli*, *melitos*, « miel ». Prénom grec traditionnel, Mélina est demeuré longtemps confiné au seul territoire hellène. Dans la mythologie grecque, le miel est la nourriture des dieux, un nectar sacré. Il a fallu le talent et la personnalité exceptionnelle d'une grande actrice, chanteuse et femme politique engagée, Mélina Mercouri, pour le faire connaître à l'étranger. Cependant, Mélina est resté plus rare que Melinda, Mélanie ou Mélissa, auquel il est parfois comparé. Aujourd'hui, Mélina est présent en Angleterre, en Italie et en Allemagne. Depuis 1980, il est régulièrement attribué en France et fait désormais partie du top 100.

Caractérologie Fougueuses et spontanées, les Mélina dévorent la vie à belles dents. Tout les passionne. Elles s'engagent à fond dans chacune de leurs actions.

▲ Nino

Cette variante transalpine de Jean est depuis peu en vogue. Dans le sillage d'Enzo, les prénoms italiens ont le vent en poupe. Fabio, Lorenzo et Nino sont de plus en plus souvent attribués, surtout dans le sud-est de la France où la communauté italienne est fortement implantée. L'Italie compte de nombreux Nino célèbres. Citons, entre autres, l'acteur comique Nino Manfredi, le compositeur de musique de film Nino Rota ou le couturier Nino Cerruti. À la deuxième place des prénoms les plus attribués en 1900, puis à la première en 1950, Jean connaît aujourd'hui une forte baisse. Ce sont ses variantes qui sont désormais en vogue : Yanis, Ivan, Sean ou Iban.

Caractérologie Sages et solides, les Nino ne se laissent pas emporter par leurs émotions. Ils apprécient particulièrement les activités intellectuelles.

▲ Noam

Tendance
2007

Les Noam
n'ont pas de fête
connue.

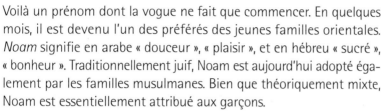

Nord
Centre
Région
parisienne
Sud-Est

Voilà un prénom dont la vogue ne fait que commencer. En quelques mois, il est devenu l'un des préférés des jeunes familles orientales. *Noam* signifie en arabe « douceur », « plaisir », et en hébreu « sucré », « bonheur ». Traditionnellement juif, Noam est aujourd'hui adopté également par les familles musulmanes. Bien que théoriquement mixte, Noam est essentiellement attribué aux garçons.

Entre autres Noam célèbres, citons le linguiste et chercheur américain Noam Chomsky, libre penseur connu pour son discours critique sur la politique étrangère des États-Unis, et le compositeur israélien Noam Sheriff.

Caractérologie Passionnément indépendants et souvent critiques, les Noam ont un sens aigu de la liberté. Ce sont bien souvent d'excellents chercheurs.

● Paola

Tendance
2007

Fête

Les Paola se fêtent
le 26 janvier.

Région
parisienne
Sud-Ouest

C'est la version italienne et espagnole du prénom français Paule. Mais c'est aussi le féminin de la forme bretonne de Paul : Paol. Paola est l'un des prénoms les plus répandus en Italie. Paola Ruffo di Calabria, l'épouse de l'actuel roi des Belges, Albert II, en est sans nul doute la meilleure ambassadrice. Aujourd'hui, en France, le nombre de petites filles qui sont ainsi baptisées chaque année est en constante augmentation.

Sainte Paola, ou Paule, était une grande dame romaine au Vᵉ siècle. À la mort de son mari, elle distribua son héritage à ses enfants et partit avec l'une de ses filles, sainte Eustochium, dans l'un des monastères fondés par saint Jérôme à Bethléem.

Caractérologie Sensuelles et fantasques, les Paola sont de grandes passionnées. Elles préfèrent les tourments de l'amour aux douceurs d'un bonheur tranquille.

▲ Sam

Tendance
2007
↑

Sam est le diminutif anglo-saxon de Samuel, de l'hébreu *chemu'el*, qui signifie « son nom est Dieu ». Très en vogue aux États-Unis dont il a donné le surnom (l'Oncle Sam), Sam est également répandu sous la forme Sammy. Depuis les années 1960, il bénéficie en France d'un véritable engouement au même titre que Samuel.

Dans la Bible, Samuel est voué à Dieu dès son plus jeune âge. Éduqué par Élie, il devient le dernier des juges qui gouvernent Israël après l'exode d'Égypte. Le prophète réforme alors les mœurs des Hébreux et fonde la première monarchie israélite en incitant Saül à monter sur le trône. Un récit poétique raconte sa vie : le livre de Samuel.

Caractérologie Généreux et attentifs, les Sam sont réputés pour leur esprit vif et pour leur audace. Ils savent défendre leurs idées.

● Tamara

Tendance
2007
↑

En arabe et en hébreu, Tamara signifie la « datte ». Au Moyen-Orient comme au Maghreb, la datte est consommée de diverses manières : fraîche, séchée, en pâtisserie ou en garniture.

En Géorgie, Tamara est un prénom très courant en raison du culte voué à une sainte du XIIIe siècle. Sainte Tamara fut couronnée reine de Géorgie en 1184. Elle apporta trente années de paix, de justice et de prospérité à son royaume.

Tamara de Lempicka est sans doute la seule Tamara passée à la postérité. Brillante, mystérieuse et contradictoire, la peintre, figure emblématique du style Art déco, adorait choquer ; elle aimait les femmes, mais s'est mariée deux fois.

Caractérologie Insaisissables et cyclothymiques, les Tamara adorent surprendre. Elles ne sont jamais là où on les attend et sont douées d'une vraie nature d'artiste.

▲ Apollinaire

Apollinaire vient du grec *apellos*, qui signifie « celui qui inspire ». Dans la mythologie grecque, Apollon, fils de Zeus, était le dieu de la beauté, de la lumière et des arts. Son plus grand sanctuaire se trouvait à Delphes. Apollinaire, ou Apollinaris, sa version latine, fut surtout porté durant la Renaissance. Quelques décennies plus tard, un poète redonna à ce prénom d'artiste tout son prestige, Wilhelm Appolinaris de Kostrowitzky, *alias* Guillaume Appollinaire.
Saint Apollinaire était un disciple de saint Pierre. Au IIe siècle, il partit évangéliser la ville de Ravenne en Italie, dont il devint le premier évêque.

Caractérologie Sensibles et discrets, les Apollinaire sont des intuitifs. Leur calme apparent cache de grands tourments intérieurs.

▲ Baudry

Fête

Les Baudry
se fêtent
le 13 novembre.

Région
parisienne

Voilà un prénom rare qui n'a jamais pris une ride. Baudry, version francophone du vieux prénom germanique Baldéric, reste une valeur sûre des prénoms BCBG au même titre que Gauthier ou Aymeric. Très courant au Haut Moyen Âge, dont il évoque les preux chevaliers, Baudry se rencontre aujourd'hui plus communément en nom de famille qu'en prénom. Saint Baudry (ou Beaufroy) était un moine ermite du VIIe siècle, qui vivait retiré près de Verdun. Il fonda l'abbaye de Monfaucon d'Argone. La tradition veut qu'il soit mort à Reims, en se rendant au chevet de sa sœur sainte Bove, et que son corps fut transporté de nuit par les moines.

Caractérologie Entreprenants et volontaires, les Baudry adorent défier l'ordre établi. Quand il le faut, ils peuvent être d'une discrétion absolue. Ils sont habituellement très fidèles à leurs amis qui pourront compter sur leur appui sans faille.

● Béatrice

Tendance 2007

France
entière

Béatrice comme...
la journaliste
Béatrice Schönberg

Béatrice vient du latin *beatus*, qui signifie « heureux ». Dès l'Antiquité, Béatrice eut un certain succès souvent associé à une forme de dévotion religieuse. Mais c'est le poète italien Dante Alighieri qui lui donna son essor au XIIIe siècle. Dante était encore un enfant lorsqu'il s'éprit de la toute jeune Florentine Béatrice Portinari. Après la mort prématurée de la jeune femme, Dante fit revivre son amour de jeunesse dans plusieurs de ses poésies et lui dédia son chef-d'œuvre, *La Divine Comédie*.
L'Église honore plusieurs Béatrice, dont sainte Béatrice II d'Este qui fonda le couvent bénédictin de Saint-Antoine à Ferrare.

Caractérologie Charmeuses et brillantes, les Béatrice sont dotées d'un réel charisme. Elles se sentent à l'aise quand elles évoluent dans la proximité du pouvoir.

● Carmen

Tendance 2007

Région
parisienne
Sud-Ouest

Carmen comme...
l'actrice espagnole
Carmen Maura

Comme *La Traviata* ou *La Bohème*, *Carmen* a fait de l'opéra un art populaire. Le drame lyrique composé par Georges Bizet en 1875 sur un livret d'Henri Meilhac et Ludovic Halévy fut inspiré par une nouvelle de Prosper Mérimée. Dès sa première représentation à l'Opéra-Comique de Paris, il eut un succès fulgurant. Les tribulations amoureuses de la belle Carmen, charmeuse, cruelle et infidèle, sont connues de tous. Quelques notes suffisent à en évoquer les personnages : une bohémienne, un toréador et un Don José, brigadier déserteur par amour. Ce prénom typiquement espagnol vient du latin *carmen*, qui signifie « chanson ».

Caractérologie Les Carmen sont rêveuses et tolérantes. Elles se plient facilement aux contraintes de la vie de groupe et sont toujours entourées de nombreux amis.

• Elvire

Tendance
2
0
0
7

Les Elvire se fêtent
le 16 juillet.

Région
parisienne

Elvire comme...
la comédienne
roumaine
Elvire Popesco

Le prénom Elvire fut sans doute inspiré par la ville d'Elvira (Alarife) près de Grenade. Dès le Moyen Âge, il se diffuse partout dans la péninsule Ibérique. Mais on le retrouve aussi en Germanie et en Angleterre. Au XIᵉ siècle, sainte Elvire était une abbesse du monastère d'Ohren en Rhénanie. Toute sa communauté chanta ses louanges durant sa vie et après sa mort. Mais Elvire, c'est surtout la malheureuse épouse de Don Juan. Dans la pièce de Molière, remaniée par Corneille, Don Juan enlève la jeune Elvire de son couvent. Cependant, à peine conquise, celle-ci ne l'intéresse déjà plus. Abandonnée, la jeune femme retournera au couvent.

Caractérologie Ardentes et stratèges, les Elvire détestent la routine et les situations convenues. C'est pourquoi, quand cela leur paraît nécessaire, elles n'hésitent pas à défier l'ordre établi.

• Emma

Tendance
2
0
0
7

Les Emma se
fêtent le 19 avril.

France
entière

Emma comme...
l'actrice française
Emma de Caunes

Voilà un prénom qui est devenu un véritable phénomène de mode ! Contrairement à ce qu'on pense souvent, Emma n'est pas l'abréviation d'Emmanuelle ; il fait partie des prénoms les plus attribués ces cinq dernières années et se plaçait au 8ᵉ rang en 2005.
Emma vient du germanique *ermin*, qui signifie « toute-puissance ». Il existe une sainte Emma, d'origine autrichienne, cousine du duc de Bavière et épouse du comte Ludger, qui distribua ses biens aux pauvres et fonda de nombreuses abbayes. Mais l'Emma la plus célèbre est sans aucun doute l'héroïne de Gustave Flaubert, Emma Bovary, amoureuse passionnée, naïve et... adultère. Un destin pour le moins contemporain !

Caractérologie Curieuses, intelligentes et pleines de charme, les Emma n'ont pas froid aux yeux. Elles sont aimables et agréables.

Fête

Les Gauvain
n'ont pas
de fête connue.

Région
parisienne
Ouest

▲ Gauvain

Tendance
2
0
0
7

Dans le cycle des chevaliers de la Table ronde, sir Gauvain est le neveu du roi Arthur et le frère de deux autres chevaliers : sir Gareth et sir Gahéris. Son nom gallois est *Gwalchmai*, ce qui veut dire « faucon de mai ». Fier et respectueux des préceptes de la chevalerie, Gauvain deviendra l'ennemi implacable de Lancelot du Lac lorsque celui-ci tuera ses deux frères.

Prénom rare, attribué exclusivement dans certains pays celtes, Gauvain, Gauvin ou Gavin, est désormais à la mode en Grande-Bretagne et dans plusieurs pays anglophones. Depuis peu, il a fait son apparition en France, soutenu par la vogue des prénoms médiévaux.

Caractérologie Audacieux et impatients, les Gauvain sont des êtres chaleureux et bienveillants. Ils aiment les situations périlleuses qu'ils affrontent sans frémir.

Fête

Les Griselda se
fêtent le 21 août.

Région
parisienne

Griselda comme...
l'auteur argentine
Griselda Gambaro

● Griselda

Tendance
2
0
0
7

Pour certains, Griselda serait une forme dérivée du prénom latin Grace, pour d'autres, il s'agirait d'un prénom wisigoth issu du germanique *grisja*, qui veut dire « gris », et *hild*, qui signifie « combat ». Dans tous les cas, Griselda est l'épouse bafouée et torturée par un mari cruel mais dont la patience exemplaire triomphera d'un sort injuste. Héroïne de l'un des contes du *Décaméron* de Boccace, Griselda inspirera de nombreux artistes : le poète anglais Chaucer, l'écrivain Charles Perrault, les compositeurs Scarlatti, Hans Sachs ou Jules Massenet. Griselda n'a jamais été un prénom courant. Son diminutif Zelda a eu plus de succès, notamment aux États-Unis.

Caractérologie Inflexibles et volontaires, les Griselda sont réputées pour faire preuve d'un sens aigu de l'analyse.

● Guenièvre

Tendance 2007

Fête

Les Guenièvre
se fêtent
le 18 octobre.

Guenièvre est la forme médiévale de Geneviève. Dans la légende des chevaliers de la Table ronde, Guenièvre est la fille du roi Léodegrance de Caméliard et la femme du roi Arthur. Elle séduit sir Lancelot qui est son champion, et cette liaison entraîne la destruction de l'ordre de la Table ronde. Le nom Guenièvre vient, selon toute vraisemblance, du mot gallois *Gwenhwyfar*, qui signifie « blanc-fantôme ». Dès lors, on peut affirmer que Guenièvre possède un caractère féerique qui fait d'elle une magicienne. Au Vᵉ siècle, sainte Geneviève se consacra à Dieu dès son plus jeune âge. Elle sauva par deux fois les Parisiens des invasions barbares et devint l'amie de sainte Clotilde, future femme du roi des Francs, Clovis.

Ouest

Caractérologie Les Guenièvre sont persévérantes et résolues. Elles ont besoin de sécurité affective et ont un sens aigu de la famille.

▲ Hippolyte

Tendance 2007

Fête

Les Hippolyte se
fêtent le 13 août.

Dans la mythologie grecque, Hippolyte est le fils de Thésée et d'Antiope, une amazone. Phèdre, sa belle-mère, s'éprend de lui, mais Hippolyte repousse ses avances. Ulcérée, Phèdre l'accuse publiquement d'avoir voulu la séduire et Hippolyte s'enfuit sur son char. Thésée, furieux, déclenche la colère de Poséidon, le dieu de la mer. Hippolyte meurt fracassé contre des rochers, emporté par ses chevaux effrayés par un monstre marin.

Hippolyte vient du grec *hippolutos*, qui signifie « celui qui délie les chevaux », le lad. Prénom rare, en vogue au XIXᵉ siècle, Hippolyte est sorti il y a quelque temps de l'oubli grâce au talent de l'acteur français Hippolyte Girardot.

Région
parisienne
Sud-Est

Caractérologie Sensibles et réservés, les Hippolyte sont pleins de charme. Fidèles en amour et en amitié, ils détestent le mensonge.

Fête

Les Lambert
se fêtent
le 17 septembre.

Région
parisienne

▲ Lambert

Tendance
2007

Lambert vient du germanique *land*, « pays », et de *behrt*, « brillant, glorieux ». Ce prénom médiéval, qui était encore répandu au XIXᵉ siècle, a donné naissance à de nombreux patronymes. Il est resté fréquent en Allemagne et aux Pays-Bas sous la forme Lambrecht ou Lamprecht. Saint Lambert occupa longtemps un poste important à la cour du roi Clotaire III. Puis il décida de prendre l'habit monastique à Fontenelle. Il succéda en 666, comme abbé, au fondateur saint Wandrille, puis il fut élu évêque de Lyon à la mort de saint Genès.
En France c'est l'acteur Lambert Wilson, fils du metteur en scène Georges Wilson, qui a sorti ce prénom de l'oubli.

Caractérologie   Les Lambert sont des séducteurs nés. Jovials, spirituels et attentionnés, ils brillent facilement en société.

Fête

Les Lolita
se fêtent
le 15 septembre.

Région
parisienne

Lolita comme...
l'écrivain français
Lolita Pille

● Lolita

Tendance
2007

Lolita est le diminutif du prénom espagnol Dolorès, qui signifie « douleur ». L'Église catholique d'Espagne surnomma la Vierge Marie Maria de Los Dolorès, pour exprimer les souffrances de la Vierge durant l'agonie de Jésus.
Dès le XVIIᵉ siècle, Dolorès fut largement attribué dans les pays hispanophones. En Espagne et en Amérique latine, il est encore largement répandu. En France ce sont les diminutifs Lola et Lolita qui sont aujourd'hui en vogue. La célèbre héroïne du roman de Nabokov n'y est sans doute pas étrangère.
L'actrice Isabelle Huppert a trois enfants, Lolita, née en 1983, Lorenzo, né en 1986, et enfin Angelo, né en 1997, qu'elle a eu avec Ronald Chammah qui la dirigea dans *Milan noir* en 1988.

Caractérologie   Les Lolita sont honnêtes et persévérantes. Elles ont avant tout besoin de sécurité et d'affection.

▲ Odilon

Tendance 2007

Ce dérivé masculin d'Odile, aux consonances médiévales, est un prénom rare. Saint Odilon vécut au Xᵉ siècle. Ce moine auvergnat entra à Cluny vers 990 et en devint l'abbé en 994. On lui doit l'une de nos principales fêtes religieuses : la Toussaint. Travailleur infatigable, il renforça considérablement le rayonnement de Cluny. Celui que l'on surnommait l'« archange des moines » mourut à Souvigny en 1048. Le prénom Odilon eut un certain succès au Moyen Âge dans les milieux ecclésiastiques pour ensuite disparaître des registres d'état civil. Odilon vient du germanique *odal*, qui signifie « patrimoine », « richesse ».

Caractérologie Les Odilon sont calmes et pacifiques. Enclins à la méditation, doués pour les études, ils se sentent à l'aise loin des rumeurs du monde.

Fête
Les Odilon se fêtent le 4 janvier.

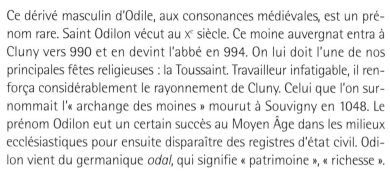
Région parisienne

Odilon comme...
le peintre français Odilon Redon

▲ Ogier

Tendance 2007

Ogier le Danois est le héros d'un poème en douze chants composé par Raimbert de Paris et qui fait partie du cycle carolingien. Dans ses aventures, Ogier est un fidèle vassal de Charlemagne. Mais Beaudouin, son fils, est tué par Charlot, fils de l'empereur, au cours d'une partie d'échec. Ogier crie vengeance et se retire chez l'ennemi lombard. Sa quête dure sept ans au cours desquels, seul et sans aide, il tente de résister aux troupes de Charlemagne. Finalement, Ogier obtient la tête de Charlot en échange de son combat contre les Vikings. Mais le fils de l'empereur est sauvé par l'intervention de saint Michel, au moment où Ogier va lui trancher la tête.

Caractérologie Les Ogier sont des êtres qui n'apprécient ni le compromis ni les demi-mesures. Ils ne se sentent à l'aise que dans les défis et le risque, mais leur nature intrépide les met souvent dans une situation qui peut s'avérer délicate.

Fête
Les Ogier n'ont pas de fête connue.

Ouest

Les Robin
se fêtent
le 17 septembre.

Ouest
Est
Sud-Ouest

Robin comme...
l'acteur américain
Robin Williams

▲ Robin

Tendance
2
0
0
7

Qui ne connaît le personnage légendaire de Robin des Bois ? Robin des Bois est un archétype du héros folklorique du Moyen Âge. Son nom anglais, Robin Hood, signifie en réalité « Robin la Capuche » et non « Robin des Bois ». Selon la légende, Robin des Bois était un hors-la-loi au grand cœur qui vivait caché dans la forêt de Sherwood. Défenseur des pauvres et des opprimés, il détroussait les riches malhonnêtes pour rétablir la justice. La légende de Robin se déroule vers la fin du XIIᵉ siècle à l'époque de Jean sans Terre et de Richard Cœur de Lion.
Robin est un diminutif de Robert. Depuis le début des années 1980, il est très à la mode.

Caractérologie Curieux et sociables, les Robin aiment beaucoup voyager. Ils se sentent à l'aise dans tous les milieux et vivent souvent à l'étranger.

Les Rodrigue se
fêtent le 13 mars.

Région
parisienne

▲ Rodrigue

Tendance
2
0
0
7

Rodrigue est la forme espagnole du germanique Rodéric, composé de *hrod*, « gloire », et de *rik*, « chef ». Corneille s'inspira d'un personnage historique, Rodrigue de Bivar, vainqueur des Maures, pour écrire sa fameuse pièce, *Le Cid*. Rodrigue y est amoureux de Chimène, mais le jeune homme se voit contraint de sacrifier son amour pour sauver l'honneur de son père. Ce choix douloureux est la naissance du défi cornélien et la gloire de Rodrigue.
Rodrigue est un prénom en vogue dans tous les pays hispanophones. Dans l'Espagne musulmane du IXᵉ siècle, saint Rodrigue était un chrétien de Cordoue. Ordonné prêtre en secret, il fut dénoncé et mis à mort en 857.

Caractérologie Emportés et autoritaires, les Rodrigue supportent mal les contraintes. Ils préfèrent la solitude au travail de groupe.

Roxane

Roxane est la belle jouvencelle dont Cyrano de Bergerac est amoureux. Le roman d'Edmond Rostand connut, dès sa sortie en 1897, un succès phénoménal. Un siècle plus tard, son héros nous émeut toujours autant et on comprend que Roxane ait préféré ce laid romantique et génial à la fade beauté d'un Christian.

Roxane fut très à la mode dès l'Antiquité. Ce prénom vient du persan *raokhshna*, « belle aurore ». Mais Roxane, c'est surtout le nom de l'épouse d'Alexandre le Grand au IVᵉ siècle. Capturée par les troupes de l'empereur, elle réussit à le séduire par sa grande beauté.

En France, depuis le début des années 1970, Roxane est réapparu dans les registres d'état civil.

Caractérologie Tendres et passionnées, les Roxane vivent leurs sentiments avec violence. Elles ont besoin d'affection et de sécurité.

Fête
Les Roxane
n'ont pas de fête
connue.

Région
parisienne
Sud-Est

Roxane comme...
l'actrice française
Roxane Mesquida

Thelma

Ce prénom est l'œuvre d'une romancière anglaise du XIXᵉ siècle, Marie Corelli. Elle baptisa ainsi son héroïne, s'inspirant du grec *theléma*, « volonté, désir ». Son roman *Thelma*, paru en 1887, connut un énorme succès et le prénom fut rapidement adopté en Angleterre et aux États-Unis. Aujourd'hui il est toujours en vogue en Amérique du Nord. Le *road movie* de Ridley Scott sorti en 1991, *Thelma et Louise*, lui a donné un nouvel essor. Dans le film hollywoodien, Thelma et Louise sont deux amies frustrées par une existence monotone. Elles décident de s'évader un week-end sur les routes magnifiques de l'Arkansas pour fuir l'une son mari, l'autre son petit ami. Mais au premier arrêt leur existence bascule.

Caractérologie Fantasques, imprévisibles et fidèles, les Thelma vivent intensément chaque instant de leur existence.

Fête
Les Thelma
n'ont pas de fête
connue.

Région
parisienne

Thelma comme...
l'actrice américaine
Thelma Barlow

Tendance
2007

▲ Tristan

Fête

Les Tristan
se fêtent
le 12 novembre.

Est
Centre
Région
parisienne
Sud-Est

Tristan comme...
l'artiste et
écrivain roumain
Tristan Tzara

L'étymologie de Tristan est contestée. Pour certains il viendrait du celtique *drest*, « tumulte », pour d'autres de *Drustan*, ancien nom de druide celte. Tristan est l'amant malheureux d'Iseult la blonde dans une légende galloise. Le chevalier Tristan de Léonois part pour l'Irlande demander la main d'Iseult pour son oncle. Mais Tristan et Iseult consomment par erreur le philtre magique destiné à la nuit de noce. Ils tombent éperdument amoureux sans pouvoir vivre leur passion. Leur histoire a fasciné des centaines de poètes, d'auteurs et de musiciens, dont Richard Wagner qui en fit un opéra. En France, Tristan, traditionnellement basque, est à la mode depuis quelques années.

Caractérologie   Rêveurs et imaginatifs, les Tristan ont besoin de s'évader de la réalité. Les métiers créatifs leur permettent d'exprimer leur sensibilité.

Tendance
2007

▲ Yvain

Fête

Les Yvain se fêtent
le 19 mai.

Ouest

Yvain comme...
le compositeur
français
Yvain Maurice

Dans le cycle des chevaliers de la Table ronde, Yvain ou Owein (en gallois) est le fils de la fée Morgane et du roi Urien, et le cousin du chevalier Gauvain. Ses multiples aventures le confrontent à un chevalier noir, gardien d'une fontaine, un lion et un serpent et un maître d'armes qui n'est autre qu'une demoiselle. Il est le héros d'un roman de Chrétien de Troyes, *Yvain ou le Chevalier au lion*, où il symbolise l'amour courtois.
Yvain est une forme médiévale du prénom Yves. Depuis quelques années, il a pris le pas sur le trop traditionnel Yves, en Bretagne et dans le reste de l'Hexagone.

Caractérologie   Pragmatiques et créatifs, les Yvain ont de vrais talents de communicateurs. Ils sont également dotés d'une nature optimiste.

Index des prénoms

Direction : Stephen Bateman
Direction éditoriale : Pierre-Jean Furet
Édition : Anne la Fay
Conception graphique et réalisation : Claire Rouyer
Conception de la couverture : Nicole Dassonville
Réalisation de la couverture : Claire Guigal
Fabrication : Amélie Latsch

Responsable partenariats : Sophie Augereau au 01 43 92 36 82

Dépôt légal : janvier 2007
ISBN : 978.2.0162.1043.7
62.69.1043.01.9

Achevé d'imprimer par G. Canale & C.S.p.A., Turin (Italie).